'Dette må undersøges nærmere'

STUDIER FRA SPROG- OG OLDTIDSFORSKNING

UDGIVET AF
DET FILOLOGISK-HISTORISKE SAMFUND

112. BIND – ÅRGANG 2002
NR 340

Anne Fox Maule in memoriam

'Dette må undersøges nærmere'

– Theofrast og botanikkens grundlæggelse

Chr. Gorm Tortzen

Museum Tusculanums Forlag
Københavns Universitet 2003

Chr. Gorm Tortzen: 'Dette må undersøges nærmere' – Theofrast og botanikkens grundlæggelse
Studier fra Sprog- og Oldtidsforskning nr. 340

© 2003, Museum Tusculanums Forlag og Chr. Gorm Tortzen
Redaktion: Mogens Herman Hansen
Omslag, layout, sats og rentegning: Pernille Sys Hansen
Stregtegninger: Christine Smitt
Sat med Aldus
Trykt hos Special-Trykkeriet Viborg a-s
ISBN 87 7289 866 6
ISSN 0107 9212

Illustrationer:
Forside: Figentræ (Kalydon). Bagside: I forgrunden et vildt pæretræ, i baggrunden cypresser (tv.) og oliventræer (th.)
Alle fotos ved forfatteren.

Bogen er udgivet med støtte fra
Statens Humanistiske Forskningsråd
E. Lerager Larsens Fond

Museum Tusculanums Forlag
Njalsgade 92
DK-2300 København S
www.mtp.dk

'Nu har jeg forklaret, hvad der er grundlaget for landbruget, og hvad der er dets formål. Så kan man se, hvor mange dele dette fagområde består af,' sagde Agrius. 'Såvidt jeg kan se, er der utallige, når jeg læser de mange bøger af Theofrast, som hedder *Undersøgelse af planter* og de andre, *Planternes årsager*.'
'De bøger egner sig ikke så meget til folk, der vil dyrke marken, som til dem, der vil dyrke filosoffernes skoler,' svarede Stolo. 'Men hermed være ikke sagt, at de ikke indeholder noget nyttigt og almengyldigt.'
Varro: *De re rustica* (37 f.Kr.) 1.5.1-2

Det har været en nok så byrdefuld opgave at læse de antikke forfattere, særligt Theofrast. Hos ham må man finde planternes karakteristika spredt her og der og splittet ad i en sådan grad, at man ikke skulle tro, at der eksisterede én eneste hel plante i hele verden ...
Johannes Ruellius: *De natura stirpium*, 1536, dedic. s. A II-II

Jeg finder Theofrasts botaniske værker kedelige – hvilket ikke er opfattelsen hos andre, som har studeret dem, må jeg nok indrømme.
J.E. Raven: *Plants and Plant Lore in Ancient Greece*, 2000, s. 20

Indholdsoversigt

Indledning

Denne bog beskæftiger sig med tre emner. For det første et fags fødsel. Den græske filosof Theofrast fra Eresos udarbejdede i årene omkring 300 f.Kr. den første videnskabelige beskrivelse af planter. Den indgik i det store projekt, som hans lærer og senere kollega Aristoteles havde iværksat nogle år før, og som bl.a. omfattede en række zoologiske undersøgelser. Theofrasts botaniske forskning blev nedfældet i to værker, der med deres sikre metodiske overvejelser og store detailrigdom gør et overvældende og ofte forvirrende indtryk på den moderne læser (kapitel 1-2).

Det andet emne handler om de praktiske forhold i forbindelse med en sådan undersøgelse af planter. Hvordan skaffede Theofrast sig store mængder oplysninger, som stammer fra steder, han ikke selv havde tid eller mulighed for at besøge? Hvordan blev disse oplysninger bearbejdet og lagret, og hvordan holdt han styr på dem? Dette spørgsmål er nært knyttet til to andre: Hvorfra stammede det teoretiske fundament for undersøgelsen, og hvordan kunne nye oplysninger indpasses i teorien?

Bogens tredje emne er de personer, der leverede Theofrast de ønskede oplysninger. De fleste af dem er anonyme, men overalt i værkerne dukker de op med oplysninger, der understøtter eller går imod den lærde forskers opfattelse. Disse to spørgsmål behandles i kapitel 3-5.

Et godt princip i enhver form for undersøgelse er *autopsi,* selvsyn. Som det vil fremgå, måtte Theofrast af praktiske grunde ofte overlade autopsien til andre, men jeg har i min fremstilling ladet Theofrast selv komme til orde i videst muligt omfang, så læseren selv kan danne sig et indtryk af hans stil og metode. Kortere passager bliver bragt i sammenhæng med mine kommentarer i den løbende tekst, mens han slipper for at blive afbrudt i de længere passager, som findes kommenteret i kapitel 6. Disse passager kan med fordel læses inden mine mange overvejelser. Lektor Peter Wagner har hjulpet mig med at finde illustrationsmateriale til dette kapitel, og min græskelev Christine Smitt har fremstillet tegningerne. Begge skal have tak for den ekspertise og det tålmod, de stillede til min rådighed.

Da Theofrasts testamente spiller en vis rolle i fremstillingen, har jeg oversat og kommenteret det i kapitel 7. Kapitel 8 forsøger at nå til en foreløbig konklusion på mine undersøgelser. Til sidst to appendices: (I) En tidstavle, der vil hjælpe læseren med at holde rede på de mange årstal og politiske begivenheder i 300- og 200-tallet f.Kr. (II) På et særligt farveark findes 16 farvebilleder af typiske Theofrast-planter (særligt træer), fotograferet i Kalydon og Delfi i sommeren 2002.

୧**ଈ**

Mine undersøgelser af Theofrast begyndte tidligt i 1970erne under vejledning af og under stor inspiration fra nu afdøde lektor ved Botanisk Centralbibliotek ved København Universitet, mag.scient. Anne Fox Maule. Hendes aldrig svigtende hjælp og opmuntring under specialeskrivningen og i mange år derefter har jeg i kær erindring.

Mange andre har gennem årene dog også måttet høre på mine mere eller mindre afklarede synspunkter vedrørende

Theofrast og hans botaniske værker. Det gælder først og fremmest min kone Kirsten, men også Jens Erik Skydsgaard, Peter Wagner, Mogens Herman Hansen, Minna Skafte Jensen, Johnny Christensen, Karsten Friis Johansen, Bent Christensen og Jørgen Mejer har måttet lægge øre til meget – sidstnævnte dagligt i hele marts 2002, mens jeg skrev denne bog under et studieophold på Det Danske Institut i Athen.

Fredensborg i december 2002

Bibliografi, citater og henvisninger

En bibliografi til denne bog findes side 187-192.

Hvor intet andet er nævnt, er oversættelserne mine egne – Aristotelesoversættelserne for det meste fra Tortzen 1993.

Aristoteles' og Theofrasts værker citeres traditionelt med deres latinske titler og disses forkortelser. De vigtigste er:

Aristoteles

GA   *de Generatione Animalium*, 'Om dyrenes formering'
HA   *Historia Animalium*, 'Undersøgelse af dyrene'
PA   *de Partibus Animalium*, 'Om dyrenes dele'

Theofrast

CP   *de Causis Plantarum*, 'Om planternes årsager'
HP   *Historia Plantarum*, 'Undersøgelse af planter'

Diogenes Laërtius

DL   *Vitae Philosophorum*, 'Filosoffernes Levned'

Tekstudgaver

Theofrasts botaniske værker blev trykt for første gang i 1498 i det sidste bind af Aldus Manutius' Aristoteles-udgave. Siden er teksten udgivet flere gange, sidst med en udførlig kommentar af J.G. Schneider (Leipzig 1818-1821). Overraskende nok er værkerne senest udgivet samlet af Friedrich Wimmer (Leipzig 1854), dog kun på basis af Schneiders kollationer. HP er udgivet efter Wimmers tekst og med engelsk paralleloversættelse i to bind af Arthur Hort i Loeb Classical

Library (London 1916); foreløbig er bog 1-6 udgivet fra håndskrifterne med fransk paralleloversættelse og en kortfattet kommentar af Suzanne Amigues i Collection Budé (Paris 1988-). CP er udgivet fra håndskrifterne og med engelsk paralleloversættelse i tre bind af Benedict Einarson og George K.K. Link i Loeb Classical Library (London 1976-1990).

Fragmenterne af Theofrasts værker er udgivet som *Theophrastus of Eresus. Sources for his Life, Writings, Thought & Influence*. Edited by William W. Fortenbaugh, Pamela M. Huby, Robert W. Sharples and Dimitri Gutas. I-II. Leiden 1992. Værket forkortes som regel FHSG og indeholder alle på græsk og latin bevarede fragmenter af Theofrasts værker samt et stort udvalg af citater fra den arabiske lærdomstradition.

De mindre, hele værker er dels udgivet af Wimmer (1854), dels i specialudgaver, se bibliografien i *Oxford Classical Dictionary*, 3rd ed. Oxford 1996.

Diogenes Laërtius' filosofbiografier er oversat til dansk af Børge Riisbrigh (1812). En lettere tilgængelig oversættelse findes i R.D. Hicks dobbeltsprogede udgave i Loeb Classical Library (1925 og senere).

1 · Det peripatetiske projekt

Indledende advarsel

I sin inspirerende bog *Ancient Natural Science* fremsætter den engelske videnskabshistoriker Roger French den provokerende påstand, at der ikke eksisterede naturvidenskab i antikken, og at en stor del af den moderne videnskabshistorie skaber sig unødige hindringer for forståelsen af de græske undersøgelser af naturen ud fra forkerte antagelser. Nutidens historikere slæber så at sige 1800-tallets videnskabsfiksering med sig, fx når de forsøger at skabe forbindelse mellem Aristoteles og hans skole og den biologiske forskning fra Linné til vore dage. Formålet er ofte at vise, at videnskaben ikke har ændret sig, og at oldtidens forskere er lige så gode som nutidens, fordi de ligner nutidens. French viser med ubønhørlig præcision, at mange videnskabshistorikere ubevidst indfører begreber, metoder og videnskabelige formål i de antikke tekster – hvis forfattere han kalder naturfilosoffer og netop ikke naturvidenskabsmænd. 'De kaldte det filosofi og stræbte i højere grad efter at fremhæve en enhed i deres viden end i en opsplitning af dens elementer.'[1]

Der er meget sandt i disse iagttagelser, og selvom ingen vel kan gøre sig fuldstændig fri af sin egen verden og dens uudtalte forudsætninger, er det helt nødvendigt altid at være på vagt over for andres (og egne) ideer om, hvad man må forvente af fortidens filosoffer og deres metoder. Dette være sagt til advarsel for den, som måtte tro, at denne bog handler om botanik i moderne forstand. Man vil ikke her finde forsøg på artsbestemmelser, taxonomiske diskussioner eller sammenligninger mellem græsk og moderne botanik. Derimod

vil jeg prøve at anskueliggøre, på hvilke filosofiske og organi-
satoriske præmisser det fagområde opstod, der siden farma-
kologen Dioskurides (1. årh. f.Kr.) har heddet botanik, og
som indgik i Aristoteles' peripatetiske projekt.

Aristoteles

Hvornår Aristoteles fik ideen til at beskrive hele den fysiske
verden i et stort anlagt projekt, ved ingen. Måske var planen
ikke fiks og færdig fra begyndelsen, men voksede, efterhån-
den som arbejdet skred frem. Målet må dog have været klart
fra et tidligt tidspunkt: Alle ting i verden skulle beskrives og
forstås i en helhed. Hvordan helheden ville komme til at se
ud, kunne ingen af gode grunde vide på forhånd – heller ikke
hvor omfattende det hele ville blive, eller hvor længe det
kunne fortsætte under de økonomisk og politisk urolige for-
hold i Athen.

Senere sammenfattede Aristoteles planen i begyndelsen
af bogen om *Fænomener i jordklodens umiddelbare nærhed*
(*Meteorologien*). Det følgende citat er desuden en god illu-
stration af Aristoteles' syn på Universet, der opfattes som en
roterende kugle (fiksstjernehimlen), der holdes i gang af 'de
første årsager i naturen' manifesteret i 'den første bevæger'
(*primus motor*), dvs. den metafysiske størrelse, som Aristo-
teles tilskriver uforanderlighed, ubevægelighed og evighed.
Herefter følger de bevægelser og forandringer, som er af-
hængige heraf, først himlens og himmellegemernes natur-
lige bevægelse. Den sker efter et sæt fysiske regler, som er
anderledes end de, der hersker på Jorden og i dens umiddel-
bare omgivelser, dvs. i Meteorologiens studieområde. Den
grundlæggende forskel er, at mens der på Jorden er fire ele-
menter (ild, luft, vand og jord), er alle legemer fra Månen og
ud til himmelkuglen dannet af et andet stof ('det femte ele-

ment'), hvis egenskaber er anderledes end de fire jordiske. Først og fremmest bevæger det sig altid i cirkulære baner, mens de jordiske elementer bevæger sig ret op og ned i forhold til Universets centrum, hvilket også forklarer, at Jorden må ligge dér og være ubevægelig. De levende væsner og biologien hører naturligt under den jordiske fysik. Aristoteles formulerer det således:

Vi har tidligere talt om (1) de første årsager i naturen, (2) om hele den naturlige bevægelse, (3) om stjernernes fastlagte bane på himlen og (4) om hvordan og på hvor mange måder de fysiske elementer kan forvandles indbyrdes. Tilbage står (5) at undersøge en underafdeling af denne gennemgang, den som alle mine forgængere kaldte meteorologien. Den beskæftiger sig med alt, hvad der sker efter naturen, men mindre regelmæssigt end i det første af de fysiske elementer, og som optræder i naboområdet til stjernebanen, som fx mælkevejen, kometer, stjerneskud og meteorer, kort sagt alt hvad vi ville regne for fænomener fælles for ild og vand. Hertil kommer en undersøgelse af Jorden, hvor mange dele og slags der er i den, og af fænomener i disse dele; herudfra vil vi kunne undersøge årsagerne til vinde, jordskælv og alt hvad der sker som følge af disses bevægelser. Nogle af disse ting vil vi ikke kunne give nogen forklaring på, mens vi i en vis udstrækning kan forstå andre af dem. Vi skal også beskæftige os med lynnedslag, hvirvelvinde, ildvind og med andre hvirvelfænomener, der optræder som følge af fortætninger af disse legemer.

Efter gennemgangen af dette skal vi så undersøge, (6) om vi efter den fastlagte plan kan give en fremstilling af (7) dyr og (8) planter, både i almindelighed og hver for sig. Når dette er gjort, vil vi forhåbentlig stå ved fuldendelsen af det projekt (*prohairesis*), vi fra begyndelsen har planlagt.

Lad os så tage fat og først tale om dette emne. [METE.
338a20-339a10]

Biologien har altså sin faste plads i et stort hierarki af naturlige ting, som skal undersøges i deres rette sammenhæng.

Den historiske baggrund

Inden vi ser på detaljer i projektet, kan det være nyttigt med en kort historisk oversigt over de politiske begivenheder i Grækenland i 300-tallet f.Kr. og en skitse af Aristoteles' og Theofrasts liv. Den græske filosofihistoriker Diogenes Laërtius (ca. 200 e.Kr.) har samlet stof til omfattende biografier af Aristoteles, Theofrast og andre peripatetikere, hvori der også indgår lister over deres videnskabelige produktion og deres testamenter.

Diogenes' biografier giver (sammen med to-tre senantikke Aristoteles-biografier) de væsentligste detaljer i Aristoteles' og Theofrasts liv.[2] Aristoteles blev født i Stageira på Chalkidike i 384 f.Kr. Hans far Nikomachos var ud af en græsk lægefamilie og hoflæge hos den makedonske kong Amyntas II i dennes residensstad Pella. Aristoteles mistede begge sine forældre i en meget ung alder, og det er derfor ikke sandsynligt, at han har modtaget undervisning af sin far. 17 år gammel blev han optaget i Platons Akademi i Athen, hvor han studerede, underviste og skrev indtil Platons død i 347. Man kender ikke optagelseskriterierne på Akademiet, og heller ikke hvad det præcis indebar at være medlem, men det er værd at lægge mærke til, at mange af de unge mennesker var rigmandssønner fra bystater langt fra Athen. Igennem hele Aristoteles' forfatterskab kan man spore en dyb gæld til

Platon og hans tænkning, både når Aristoteles er enig med sin lærer, og når han kritiserer ham.

Det er uklart, hvorfor Aristoteles forlod Athen ved Platons død. Tidligere forklarede man det med skuffelsen over, at det blev Platons nevø Speusippos og ikke ham selv, der blev valgt til arvtager – en næppe sandsynlig mulighed for en metøk, dvs. en fri mand med fremmed statsborgerskab og derfor uden ret til at overtage jorden, som Platon ejede i Akademos' lund vest for Athen. Bortrejsen skyldtes snarere, at den spændte politiske situation mellem den makedonske kong Filip II og de græske bystater gjorde det vanskeligt for en udlænding med makedonske forbindelser at blive i 340ernes Athen.

Theofrast havde fulgt en nogenlunde tilsvarende løbebane: Han blev født i Eresos på Lesbos i 372 (hans far Melantes var valker) og havde dér gået i skole hos den ellers ukendte Alkippos. Navnet *Theofrastos* kan oversættes med enten 'den der taler som en gud' eller 'den som en gud har givet evnen til at tale og tænke'. Det var senere en udbredt opfattelse, at det var et navn, som Aristoteles havde givet sin yndlingselev, og at hans oprindelige navn var Tyrtamos.[3] Moderne forskere har tvivlet på oplysningen, bl.a. fordi Theofrastos var et ikke ualmindeligt navn i Athen, mens ingen anden person i antikken vides at have haft navnet Tyrtamos. Vores viden om kælenavne og om navneskik på Lesbos er dog for begrænset til, at man kan afvise historien, skønt den unægtelig lyder en smule konstrueret og minder om en tilsvarende historie om Platon, der oprindelig skulle have heddet Ariston.

Selvom vi ikke ved præcis, hvornår Theofrast kom til Akademiet, må det have været i slutningen af 350erne. På dette tidspunkt var Aristoteles ca. 30, og Theofrast ca. 20. Formentlig rejste de sammen fra Akademiet ved Platons død og levede de næste to år i Assos på Lilleasiens kyst hos Hermias, en tidligere elev fra Akademiet, som indtil sin død i 345 her-

skede over byen. Aristoteles giftede sig med Hermias' niece
(?) Pythias. En overgang boede de i Mytilene på Lesbos. Her-
efter fortaber sporene sig, men i 342 var Aristoteles og for-
mentlig også Theofrast ved makedonerkongen Filip IIs hof,
hvor den unge prins Alexander blev undervist af Aristoteles.
Efter et kort ophold i sin hjemby rejste Aristoteles i 335 til
Athen, hvor han lejede lokaler nær sportspladsen Lykeion
øst for byen. Stedet blev tidligere lokaliseret til området,
hvor Syntagmapladsen nu ligger, men for få år siden fandt
man på hjørnet af gaderne Vassilissis Sofias og Rigillis res-
terne af et bygningskompleks, som – i hvert fald for tiden –
regnes for Lykeions rigtige placering.[4] Her underviste og for-
skede Aristoteles i de næste 13 år.

Blandt hans mange elever og medarbejdere nævnes især
to fra denne periode: Theofrast og Eudemos; sidstnævnte
flyttede senere til Rhodos, hvor han grundlagde sin egen sko-
le. Pythias, som Aristoteles havde fået en datter af samme
navn med, døde få år efter ankomsten til Athen, og resten af
sit liv levede Aristoteles sammen med slavinden Herpyllis,
med hvem han fik Nikomachos. Et oprør i forbindelse med
Alexander den Stores død i 323 tvang ham (og Theofrast?) til
at flygte til Chalkis på øen Eubøa ca. 100 km nord for Athen.
Her døde Aristoteles året efter, 62 år gammel, og i sit testa-
mente indsatte han Theofrast som sin efterfølger i Lykeion
(og mulige svigersøn, hvilket Theofrast dog ikke ønskede).

Forholdene i Athen ændrede sig radikalt, da en gammel
Lykeion-elev, den makedonervenlige athener Demetrios fra
Faleron, i 318 blev udnævnt til enevældig hersker i Athen.
Theofrast fik overdraget skolen og haven ved Lykeion som
sin ejendom, og i over 30 år ledede han en blomstrende un-
dervisningsinstitution, som efter Diogenes' oplysning havde
2.000 studenter i løbet af hans embedsperiode.

Blandt kollegerne var det formentlig jævnaldrende bysbarn Fainias fra Eresos, til hvem Theofrast betror sig om sin travle hverdag i et brevcitat: 'Det er ikke så enkelt at få et publikum eller bare en tilhørerskare, som man gerne vil have det. Forelæsningerne medfører på den anden side forbedringer, og nutidens unge finder sig ikke i, at man udskyder alting til senere eller bare er ligeglad.'[5] Fainias studerede også botanik, og de få bevarede fragmenter har i hvert fald én oplysning (om kaktus på Sicilien) tilfælles med Theofrast. I 287 eller 286 døde Theofrast i en alder af ca. 85, ikke mæt af dage, men ifølge Diogenes Laërtius med en ærgerlig bemærkning til sine elever om, at det først er, når vi skal til at dø, at vi begynder rigtigt at leve. 'Men da jeg ikke længere kan bestemme, hvad jeg skal tage mig til, må I til at undersøge, hvad der skal foretages.' Om anekdoten er sand eller ej, er svært at afgøre. For autenticiteten taler måske, at den indeholder et af Theofrasts yndlingsudtryk: 'at undersøge, hvad der skal foretages'.

Det er en alt for ofte overset kendsgerning, at Theofrasts og Aristoteles' liv udformede sig meget forskelligt, og at Aristoteles kun havde en halv snes år som leder, *scholarches*, i Lykeion i Athen (335-323), mens Theofrast arbejdede her til sin død efter næsten 50 års arbejde, kun afbrudt af et eller to kortere ophold i eksil. Hertil kommer, at mens Aristoteles som metøk ikke havde (eller kunne have) fast ejendom i Athen, men måtte leje sig ind, var Theofrasts situation en helt anden: Demetrios fra Faleron forærede skolen den grund, den stod på, og tilsyneladende også haven.[6] Intet tyder på, at ejendomsforholdene ændredes ved Demetrios' fordrivelse og Demetrios Poliorketens magtovertagelse i 307, og af testamentet fremgår det, at Lykeion kunne videregives til den næste *scholarches* stort set i den form, som Theofrast havde modtaget skolen i.

Lykeion og Peripatos

I filosofihistorien bruges både betegnelsen Lykeion og Peripatos om Aristoteles' og Theofrasts skole uden nogen egentlig forskel. Det første navn er udledt af den sportsplads, som lå i nærheden af skolen og som var viet til Apollon Lykeios. Det andet navn betyder 'skyggefuldt sted, hvor man kan spadsere'; ordet bruges i Theofrasts testamente, hvor dets nærmere betydning er diskuteret i noten hertil, side 163. Hvis der i nutiden overhovedet er nogen skelnen i brugen af de to navne, bruges Peripatos som oftest om skolen efter Aristoteles' død.

Det peripatetiske bibliotek

Når vi overhovedet kender noget til det peripatetiske projekt, skyldes det, at deltagerne skrev meget, og at en stor del af deres værker er bevaret. Ingen af delene er nogen selvfølge, og man kan med nogen ret sige, at Aristoteles' skole er den første forskningsinstitution i verden, hvor man systematisk har indsamlet og lagret store datamængder i skriftlig form.

Det er umuligt at sige, hvor stort det samlede bibliotek var på Theofrasts tid, men de bevarede lister over større og mindre afhandlinger (og de mange bevarede værker) viser, at det må have drejet sig om tusinder af bogruller. Til gengæld er vi meget godt underrettet om de forskellige typer af bøger, som Aristoteles, Theofrast og deres medarbejdere arbejdede med.[7]

Nogle bøger var enkeltmandsprojekter. Det gælder først og fremmest værker inden for områder som logik, metafysik, fysik, astronomi, retorik, kort sagt discipliner, der havde eksisteret i flere generationer (nogle af dem helt tilbage til de første naturfilosoffer omkring 600 f.Kr). Disse bøger begyndte formodentlig som notater til forelæsninger – eller som noter taget under forelæsningerne i Lykeion; senere udvikledes de til selvstændige værker.

Den anden hovedgruppe omfattede empiriske videnskaber, heriblandt statskundskab og biologi, der nok tidligere var behandlet, særligt af Platon, men som peripatetikerne studerede på en helt ny måde. De indsamlede først store mængder af oplysninger om det pågældende emne, hvor de kunne få fat på dem: i eksisterende litteratur, ved at udspørge eksperter på området og ved at udsende personer, der ved selvsyn og ved interviews med lokalbefolkningen kunne skaffe oplysninger om ting, som projektet havde brug for at vide. Denne fremgangsmåde lyder meget moderne og er det egentlig også. Som man kan se, forudsætter den både et solidt økonomisk grundlag, en omhyggelig planlægning og en del administration, hvis den skal omfatte mange mennesker. Alt tyder da også på, at Aristoteles (og måske også Theofrast) i begyndelsen arbejdede alene, og at det store projekt først blev helt realiseret, da Theofrast styrede skolen efter Aristoteles' død. Derfor kan arbejdet med nogle af de såkaldt aristoteliske værker udmærket være fortsat efter hans død i 322.

Der er dog almindelig enighed om, at Aristoteles selv stod i spidsen for indsamlingen af oplysninger om 158 statsforfatninger fra græske og barbariske stater. Aristoteles løfter selv sløret for sin metode med disse bemærkninger, som danner overgangen mellem *Den nikomachæiske Ethik* og *Statslæren*:

Da nu vore forgængere har ladet spørgsmålet om lovgivningen ligge uden at have undersøgt det, er det måske bedst, at vi selv undersøger det, og også helt generelt spørgsmålet om statsforfatninger, for at vi efter evne kan fuldende filosofien om de menneskelige spørgsmål. Lad

os derpå på grundlag af de indsamlede forfatninger analy-
sere, hvilke elementer der bevarer og hvilke der ødelæg-
ger bystaterne. [EN 1181b12-19, oversat af Troels Eng-
berg-Pedersen]

Alle disse indsamlede rapporter eller bøger er gået tabt på
nær én, *Athenernes Statsforfatning*, der ved et lykketræf
dukkede op i Ægypten i 1891 som en velbevaret papyrus-
rulle.[8] Teksten er typisk for den peripatetiske arbejdsmetode:
Forfatteren er anonym, han arbejder med et foreliggende
materiale (i dette tilfælde skriftligt), som han bearbejder og
systematiserer til en sammenhængende fremstilling. Den
måske største kender af *Athenernes Statsforfatning*, P.J.
Rhodes,[9] fører væsentlige beviser for, at teksten ikke er skre-
vet af Aristoteles selv, men af en medarbejder i Lykeion.
Mange af de andre forfatninger må utvivlsomt have krævet
et større efterforskningsarbejde, end tilfældet har været med
Athens forfatning, og hvad enten oplysningerne om de øv-
rige 157 forfatninger er skaffet ude i felten eller ved inter-
views i Athen med repræsentanter for den pågældende stat,
har alene dette projekt krævet store økonomiske og planlæg-
ningsmæssige ressourcer.

Theofrasts nok kendteste værk *Mennesketyper*[10] hører
også til denne gruppe. Selvom det videnskabelige formål med
at indsamle og registrere menneskelige tåbeligheder ikke er
klart, afslører Theofrast sig i denne lille bog som en skarp
iagttager og vittig, distancerende underspillet videnskabs-
mand, der observerer i den menneskelige zoo. Et særligt træk
er den forsigtighed, hvormed han næsten reflektorisk define-
rer sit objekt, ganske som i de botaniske værker.

Historia og aitia

De empiriske videnskaber blev som sagt behandlet efter et nogenlunde fast mønster, uafhængigt af fagområdet:

Første trin er en indsamling af oplysninger om et emne, som systematiseres i skriftlig form i en *historía*; ordet kan bedst oversættes ved 'undersøgelse, udforskning'. Systematiseringen går bl.a. ud på at opdele de mange fænomener i det pågældende fagområde i mindre, mere overskuelige grupper. Det sker ved at finde og definere et sæt mere eller mindre generelle *diaforaí*, 'forskelle', som gør det muligt at gruppere dem og derved få overblik. Processen kaldes som regel *diagnosis*, 'skelnen'. Ofte kan grundlæggende *diaforai* overføres fra et fagområde til et andet, men hvert fag kræver desuden et nyt sæt, som hele tiden skal forfines og omdefineres i takt med en øget indsigt i området.[11] Indsamlingen og den videre bearbejdelse indføres i en bog eller samling af bøger, kaldet *Historíai*.

Andet trin er et forsøg på at opstille en teori for de dybereliggende årsager, der binder de mange enkeltobservationer fra *historía* sammen, og som indpasser faget i den store plan, Aristoteles skitserede i den ovenfor citerede indledning til *Meteorologien*. Det græske ord for årsag er *aitía*, der også er navnet på bogen (også i pluralis: *Aitíai*), hvori teorien udvikles og justeres. De to bøger er 'åbne bøger', der hele tiden bliver revideret, og som i princippet aldrig bliver færdige.

De bevarede eksempler fra Aristoteles' og Theofrasts hånd viser, at arbejdspapirerne var beregnet på at kunne læses og forstås af den teoretisk skolede peripatetiker. Deres anvendelighed stod og faldt med en klar disposition af det kommende indhold, som måtte fastlægges fra begyndelsen. Dårlig planlægning i de indledende stadier ville senere hen skabe store problemer med at finde oplysninger igen og med at lave referencer til dem.

Biologiens rolle i det peripatetiske projekt

Der er ingen tvivl om, at Aristoteles foruden sine mange andre forskningsområder har været stærkt optaget af udforskningen af de levende væsner.[12] I en indledningsforelæsning i bogen *Om dyrenes dele* giver han en kort begrundelse for værdien af studiet, som han sammenligner med den uforgængelige og derfor guddommelige astronomi:

> Netop fordi man kan få mere at vide om tingene hér på Jorden, er vores vidensmængde om dem større, og fordi de er tættere på os og nærmere vores egen natur, giver de os noget til gengæld i forhold til filosofien om det guddommelige. Men da vi allerede har gennemgået dette emne og forklaret vores opfattelse, skal vi nu tale om dyrenes natur og efter bedste evne undlade at forbigå noget, hvad enten det efter vore begreber er værdifuldt eller værdiløst. Selv hos dyr, som slet ikke virker charmerende på vore sanser, vil den skabende natur give en ren nydelse til dem, der kan indse sammenhængen og i deres natur stræber efter viden. Det ville jo være helt hen i vejret, hvis vi på den ene side kan fryde os over at se på gengivelser af ting, fordi vi beundrer kunstnerens teknik (f.eks. i maleri og skulptur), og så ikke skulle føle en endnu større glæde ved at betragte naturens skabninger – vel at mærke, når vi som filosoffer kan gennemskue deres årsagssammenhæng. [PA 645a1-11]

Som andre steder, hvor Aristoteles skal give helt grundlæggende forklaringer på menneskets beskæftigelse med videnskab, bliver sprogbrug og tankegang nærmest platonisk. Man kan næppe heller blive overrasket over, at Aristoteles er blevet dybt præget af Platon i de 20 år, de tilbragte sammen i Akademiet. De mange bevarede og tabte værker om dyr (*Undersøgelse af dyr*, *Om dyrenes dele*, *Om dyrenes formering*, *Om dyrenes bevægelse*) vidner om en årelang interesse, og nogle observationer er formentlig foretaget, allerede mens Aristoteles og Theofrast opholdt sig i Assos og på Lesbos.

Scala naturæ

Aristoteles tager mennesket som udgangspunkt for sin zoologi og opfatter alle andre levende væsner som laverestående i forhold til mennesket. Han opstiller tilmed en 'naturens stige' (ofte kaldet *scala naturæ*), på hvis nederste trin planterne befinder sig. Et vigtigt inddelingskriterium er 'varme', der er en egenskab ved alle levende væsner, og som genfindes i nogle af de fire elementer (ild, luft, vand, jord), som danner grundlaget for peripatetikernes verdensopfattelse.

> Når der bliver mindre af den varme, som holder kroppen oprejst, og mere af det jordagtige, så bliver dyrenes legemer mindre og mangefodede, og til sidst bliver de fodløse og ligger helt udstrakt på jorden. Hvis de fortsætter lidt længere på den måde, vender deres livsprincip nedad, og til sidst er den del, der svarer til hovedet, ubevægelig og uden sanser: Den bliver en plante, som har det øverste nederst og det nederste øverst. Hos planterne har rødderne nemlig mundens og hovedets egenskaber, og frøet svarer til det modsatte; de kommer jo i toppen på grenene. [PA 686b29-687a2]

Scala naturæ

menneske	*levendefødende*	**BLODHOLDIGE**
hårede, firfodede dyr (=landpattedyr)		
hårede, fodløse dyr (=hvaler, sæler)		
fugle	*æglæggende* *– med fuldkomne æg*	
skællede firfodede og fodløse (krybdyr og padder)		
fisk	*– med ufuldkomne æg*	
bløddyr skaldyr (krabber)	*– med ufuldkomne æg*	**BLODLØSE**
insekter	*med larver*	
muslinger planter	*uden bevægelse og derfor uden kønnet formering*	

Botanikken som forskningsområde

Peripatetikerne bruger ordet *zoon*, 'dyr' om alle væsner i dyreriget (mennesket incl.) og *phyton*, 'plante' om alle andre. Det er et uafklaret spørgsmål, om Aristoteles selv har udgivet noget skrift om planter, og hvordan den pseudaristoteliske *De plantis* i givet fald forholder sig til dette tabte værk,[13] men i sine øvrige værker bruger Aristoteles ofte eksempler fra planteverdenen, når han skal illustrere et eller andet. Ud fra disse eksempler[14] tegner der sig et billede af 'den aristoteliske plante', dvs. af den opfattelse af planters væsen, som Aristoteles kunne forudsætte bekendt hos sin læser eller tilhører og derfor kunne bruge som forklarende eksempler i zoologien. Følgende korte oversigt giver et indtryk af denne idealplante:

Planter har som alt levende et livsprincip eller en 'sjæl', *psyche*; de har derfor også et vist mål af varme [JUV. 470a], men langt mindre end dyr, hvorfor de er uden bevægelse [PA 686a]. Årsagen hertil er deres store jordbundethed [RESP. 477a]. De indeholder mere tørt end fugtigt; derfor vokser træer ikke i vand, men på land [RESP. 477b]. De ensartede, *homøomere*,[15] dele består både hos dyr og planter af jord og vand [METE. 384b]. Da planten er stedfast, har den ikke mange funktioner og derfor ikke mange uensartede, *anomøomere*, dele [PA 655a-b]. En plantes anomøomere dele er: ved, bark, rod osv. [METE. 388a]. Mens man kun kan tale om 'op og ned' hos planterne, kan man hos dyrene tale om 'højre og venstre' og 'frem og tilbage', fordi dyrene har bevægelse [CÆL. 284b]. Planterne står på sin vis på hovedet i forhold til dyrene [IA 705a-b] – bortset fra muslingerne, der også står på hovedet [PA 686b]. 'Opad' betyder nemlig den del af legemet, hvor føden indtages [JUV. 467b-468a], og roden er analog med munden hos dyrene [PA 686b, ANIM. 412b, JUV. 468a]. Et foster kan derfor sammenlignes med en plante, fordi det optager næring fra moderen, som en plante optager den fra jorden [GA 740a]. Frø kan sammenlignes med dyrenes æg [GA 731a]. Bladene er til for at dække frugten [PHYS. 199a, ANIM. 412b]. Den 'øvre' del af planten udvikles ligesom hos dyret først, for et frø slår rødder, førend det sætter stilk, men planternes 'livsprincip' (*psyche*) sidder i midten. Det ses af, at spiring foregår midt på frøet; podning foregår også ved 'midten' ved hjælp af et skud, som har liv, men nogle planter har en *psyche*, som er potentielt delelig [JUV. 468a-b]. Plantesafterne transporteres som blodet i årerne på dyrene [PA 668a].

Man skal naturligvis være meget forsigtig med at slutte for meget ud fra disse sammenstykkede citater, der oven i købet er rykket ud af deres oftest zoologiske kontekst. Men som det vil vise sig, er langt de fleste forestillinger identiske med dem, vi finder i Theofrasts værker. Der er dog også markante forskelle, først og fremmest i Theofrasts meget reserverede holdning til hurtige analogier mellem dyr og plante, se HP 1.1.10 side 109. Hertil kommer, at Theofrast konsekvent undgår at bruge ordet *psyche* i forbindelse med planter.

2 · Theofrasts værker og botanikken

Botanikkens placering i Theofrasts forskning

Diogenes Laertius' fortegnelse over Theofrasts værker om-
fatter 227 titler på én eller flere bogruller (i alt ca. 500 ruller).
Det samlede omfang anføres til 230.850 *stichoi*. Ordet bety-
der 'verselinie' og er en regneenhed, ligesom nutidens nor-
malsider; prosatekster blev i hellenistisk tid omregnet til
'idealhexametre' à 15-16 stavelser = ca. 36 bogstaver, og tal-
let i Diogenes' fortegnelse kan derfor omregnes til godt og
vel 6.300 normalsider à 1.300 bogstaver. De to botaniske vær-
ker HP og CP fylder tilsammen 512 sider, altså lidt over 8% af
den samlede produktion, hvis Diogenes' tal er rigtige. Til
sammenligning kan anføres, at ifølge Diogenes var Aristo-
teles' produktion på 445.270 *stichoi*. Noget tyder imidlertid
på, at Diogenes i Theofrastbiografien har sammenskrevet
flere værkfortegnelser, nogle alfabetiske, andre ikke, og at i
hvert fald nogle af titlerne dækker over de samme værker. Til
gengæld mangler titler på bøger, hvis titler er overleveret ad
anden vej.[16] Spørgsmålet om omfanget af Theofrasts produk-
tion kan næppe nogensinde besvares entydigt. Fx er det gan-
ske uklart, hvor det samlede *stichos*-tal stammer fra. Er det
en sum af flere listers tal, eller stammer det fra en af listerne?

I denne forbindelse er det dog mindre væsentligt, for selv-
om det samlede sidetal kun var halvt så stort som det, Dio-
genes anfører, altså ca. 3.000 sider, er det en kendsgerning, at
Theofrast ikke primært er botaniker, men peripatetiker med
den store plan for øje. Hans øvrige værker viser det samme,
og vi må ikke forveksle Theofrasts arbejdsområde med, hvad
der af den ene eller anden grund er bevaret.[17]

En fornemmelse af, hvor meget af Theofrasts produktion der er gået tabt – og hvor meget der er bevaret – får man af at blade i den nye, imponerende tobinds udgave af Theofrast-fragmenterne, som William Fortenbaugh har stået i spidsen for, og som registrerer alle kendte omtaler af Theofrast hos de græske og latinske forfattere og et fyldigt udvalg fra den rige arabiske litteratur.

De botaniske værker

De to botaniske værker er fuldstændigt bevaret på nær sidste bog af CP – og muligvis noget af HP 2. Bøgernes detaildisposition er meget kompliceret og genstand for stor uenighed.[18] Dette skyldes de meget spegede forhold omkring overleveringen af peripatetikernes bibliotek.[19] Theofrast overlod i sit testamente ved sin død 'alle bøgerne' til sin gamle ven og kollega Neleus fra Skepsis. Geografen Strabon (1. årh. f.Kr.) beretter (13.1.54) en fantastisk historie, ifølge hvilken Neleus i forbitrelse over at være blevet vraget som Theofrasts efterfølger som scholarch skulle have tømt biblioteket for alle Aristoteles' og Theofrasts værker og have taget dem med sig hjem til Skepsis i Lilleasien. Her gemte familien den peripatetiske bogsamling i en kælder, indtil den efter 200 års glemsel dukkede op i Athen i 90erne f.Kr. Herfra hjemførte den romerske general Sulla dem til Rom, hvor de blev udgivet af Andronikos fra Rhodos. I en variant af historien (bevaret hos Athenæus 3b) blev biblioteket solgt til Ptolemaios II Filadelfos (308-246 f.Kr.), som indlemmede bøgerne i det nye store alexandrinske bibliotek.

I begge versioner af historien bliver Lykeion tømt for bøger, hvilket i sig selv lyder temmelig usandsynligt. Bl.a. testamenterer Theofrasts efterfølger, Straton (Diogenes Laërtius 5.62), 'alle bøger, bortset fra dem jeg selv har skrevet' til sin efterfølger Lykon. Samtidig kan man af den videnskabelige litteratur fra de mellemliggende århundreder se, at i hvert fald nogle af Aristoteles' bøger var kendt og blev læst.[20] I forbindelse med Theofrasts botaniske værker affødte historien en hypotese fremsat i 1930erne af den schweiziske botanikprofessor Georg Senn,[21] som indebærer, at Theofrast efterlod sig en række enkeltværker på hver én bogrulle, som først i Rom blev redigeret sammen til det, vi kalder HP og CP, samtidig med Aristotelesudgaven. Hvis hypotesen er sand, er det altså kun indirekte Theofrast, vi læser. Der er flere grunde til at betvivle Senns hypotese: Der er for det første intet belæg for, at Theofrast blev udgivet sammen med Aristoteles; det virker også sært, at en redaktør ikke har sørget for at hæfte de mange løse ender, der stritter ud fra teksten overalt, og endelig kan Senn ikke sige sig fri for at være grebet af Werner Jaegers tese om, at Aristoteles' værker kan opstilles i en udviklingsrække, og at det derfor også er muligt at spore en udvikling hos Theofrast, som fører ham længere og længere væk fra Aristoteles (læs: nærmere den moderne botaniske videnskab). Senn er en god læser, men de brud og inkonsekvenser, som han ganske rigtigt udpeger i teksten, skyldes efter min opfattelse værkernes struktur og deres karakter af åbne bøger; se eksemplerne nedenfor side 52ff.

For de følgende undersøgelser er det imidlertid ikke vigtigt at beslutte sig til den ene eller den anden overleveringshistorie. Min undersøgelse vil så at sige arbejde sig nedefra og op i teksterne og ikke beskæftige sig med makrostrukturen. Med mindre man ligefrem skal forestille sig, at den hypotetiske redaktion ændrede tekstens indhold og ordlyd ned i detaljer – hvilket ingen nogensinde har påstået – kan man derfor i denne forbindelse lade den uendelige historie om det peripatetiske bibliotek ligge og koncentrere sig om indholdet. Forinden må endnu en usikkerhed dog præsenteres.

Værkernes datering

Plinius den Ældre har i sit mammutværk *Naturalis Historia*
[3.9.5[22]] en bemærkning, som ud fra en overfladisk betragt-
ning kunne datere i hvert fald HP. Han skriver:

> Theofrast, der var den første udlænding, som skrev noget
> mere præcist om romerne [...], har på basis af mere end
> rygter (*fama*) også fastsat omkredsen af circeiernes[23] ø til
> 80 stadier i det bind (*volumen*), han skrev i Nikodoros'
> arkontat; hvilket var 440 år efter vor bys grundlæggelse.
> Derfor, hvad der er kommet til af jord ud over de ti miles
> omkreds, er blevet tillagt Italien efter dette år.

Nikodoros var arkont i Athen i 314-313 f.Kr. Plinius' refe-
rence identificeres traditionelt med en bemærkning i HP
5.8.3, hvor Theofrast gengiver en indberetning om et sted i
Latium ca. 80 km syd for Rom, nutidens Monte Circeo, og
skriver blandt andet:

> Det såkaldte Kirkaion siges at være et højt forbjerg, meget
> tæt bevokset med masser af eg, laurbær og myrte. Folk på
> stedet siges at fortælle, at her boede Kirke, og at fremvise
> Elpenors grav, hvor der vokser myrter af den slags, som
> bruges til kransebinding, hvorimod de andre myrtetræer
> er store. Det siges også, at stedet er nytilkommet land; tid-
> ligere var Kirkaion nemlig en ø, nu er den sandet til på
> grund af nogle floder og er en del af kysten. Øens om-
> kreds er omtrent 80 stadier.

Plinius gentager sin datering af Theofrasts værk i *Naturalis
Historia* 13.101, hvor han i forbindelse med beskrivelsen af
citrontræet og en formodning om dets relation til Kirke tilfø-

jer, at Theofrast 'skrev om dette i år 440 efter byen Roms grundlæggelse'.[24] Hvor Plinius end har denne oplysning fra, er den ikke rigtig. Der er nemlig en række andre henvisninger i HP til senere begivenheder: HP 6.3.3 Simonides' arkontat (311-310 f.Kr.), HP 4.3.2 Ofellas ekspedition mod Karthago (308), HP 5.2.4 Demetrios Poliorketens erobring af Megara (307), HP 5.8.2 Demetrios' flådebyggeri i forbindelse med erobringen af Kypern (som han holdt besat 306-294), HP 4.8.4 papyrustove lavet til Antigonos (skrevet efter Antigonos' død i 301?). På samme måder er der henvisninger til tidligere, fx HP 4.11.3 Filips sejr ved Chaironeia i 338 'inden for de senere år', se nærmere side 131.

Plinius har derfor ikke ret, når han tænker sig ét affattelsesår. På den anden side må hans oplysning om året stamme et eller andet sted fra; jeg gætter på begyndelsen af CP [1.19.5], hvor arkonten Nikodoros faktisk omtales, i øvrigt i den eneste samtidshistoriske oplysning i værket. Hvis det er dette sted, Plinius eller hans notater hentyder til, er oplysningen intet værd. Amigues forestiller sig, at året 314 f.Kr. kunne angive begyndelsen på projektet, men Plinius' ord *volumen*, 'bogrulle', kan næppe bruges om hele HP, og skal vi tage Plinius på ordet, henviser han derfor kun til HP 5. Endvidere modsiges Plinius' beskrivelse af Theofrasts troværdighed ('ikke baseret på rygter') af Theofrastcitatet. Det klogeste er derfor at erkende, at Plinius husker forkert eller har misforstået noget, og at vi ikke kan sætte nogen bestemt dato på det botaniske projekt. Det kan sagtens have været i gang, mens Aristoteles levede, og kan være fortsat til Theofrasts død.

Oversigt over Theofrasts botaniske værker

De overleverede bøger har en klar overordnet disposition:

Historia plantarum, 'Undersøgelse af planter'
1. bog Plantens dele. Sammensætningen af delene. Begrebet 'forskel', *diafora*, i botanik
2. bog Om formering: frø, spontan generation, stikling, podning osv.
3. bog Inddeling af de vilde træer
4. bog 'Plantegeografi': forskellige egnes træer o.a. planter
5. bog Tømmer, kvalitet og anvendelsesmuligheder
6. bog Halvbuske
7. bog Urter
8. bog Kornsorterne o.a. enårige planter
9. bog Plantesafter og medicinske egenskaber ved planter

De causis plantarum, 'Om planternes årsager'
1. bog Plantens egenskaber: formering, vækst, de underliggende kræfter: varme og kulde.
2. bog Omgivelsernes påvirkning på en plantes vækst: stedet og menneskets indgriben
3. bog Detaljer om kultivering af træer (herunder vin og oliven), halvbuske og grøntsager
4. bog Kornsorterne
5. bog Særlige forhold, herunder plantesygdomme
6. bog (og den tabte 7. bog[25]) Planters lugt og smag

Allerede af denne oversigt fremgår det klart, at Theofrast opfatter det botaniske forskningsområde noget anderledes, end man gør i nutiden. Der er ingen skelnen mellem en (i vore øjne) videnskabelig og en praktisk tilgang til stoffet, og det er tydeligt, at bøgerne omfatter mange og ret forskelligartede

dele af den botaniske videnskab, som vi ville benævne plante-
anatomi, en vis form for taxonomi, undersøgelse af forskel-
lige biotoper, en plantegeografi osv. Hertil kommer oplysnin-
ger (fx opmålingen af Kirkes ø), der i vore øjne intet har med
botanik at gøre, men som alligevel må have været opfattet
som vigtige både for Theofrasts kilde og for ham selv. Som vi
skal se, er der mange andre eksempler på disse tilsyneladende
irrelevante oplysninger.

Metodeafsnittet og nogle fundamentale forskelle

Der er mange gode grunde til at begynde studiet af Theo-
frasts botaniske univers med metodeafsnittet HP 1.1.1-1.3.2,
aftrykt med kommentar side 105ff. I disse kapitler prøver
Theofrast at lægge fundamentet for videnskaben og udtryk-
ker sig derfor temmelig abstrakt. Samtidig er han yderst for-
sigtig med sine formuleringer og vender og drejer dem, fordi
der endnu kun er tale om tilnærmelser til en autoritativ
fremstilling af botanikkens fundament. Om Theofrast fore-
stillede sig, at en modsigelsesfri 'idealbotanik' overhovedet
kunne skrives, ved vi af gode grunde ikke. Den største fejl,
eftertiden har gjort i studiet af HP og CP, er netop at forveksle
dem med den bog, Theofrast ikke skrev.

Jeg har knyttet nogle detailkommentarer til oversættel-
sen og vil derfor her kun omtale nogle overordnede træk ved
Theofrasts metodekapitler. HP 1.1.1 begynder ganske som
Aristoteles' zoologiske værker og med en tilsvarende termi-
nologi og sproglig udformning, dog uden en begrundelse for
studiet, som Aristoteles ofte indleder med. Forskeren er i
begge tilfælde den nøgterne, anonyme iagttager. Opgaven
formuleres sprogligt med en upersonlig konstruktion, 'man
bør' – på græsk med gerundiv, en i normal prosa ret sjælden
verbalform, der imidlertid optræder hele 30 gange i HP 1 og

gennem hele værket er forbeholdt den peripatetiske forsker og de opgaver, han i fremtiden skal påtage sig, eller som han skal lægge sig på sinde i sine metodiske overvejelser. Gerundivkonstruktionen er med andre ord en sproglig markør, som minder projektets deltagere om diverse løse ender.

Ved en gennemlæsning af indledningskapitlerne må den moderne læser undre sig over den fremmedartede måde, som Theofrast beskriver en plante på. Særlig ejendommelig virker beskrivelsen af bladets og blomstens funktion, fordi læseren uvilkårligt går ud fra sin egen skolelærdom om fotosyntesens rolle for plantens vækst og den kønnede formering ved hjælp af insekt- eller vindbestøvning. Begge disse i vore øjne grundlæggende egenskaber ved planterne var for formeringens vedkommende ukendte indtil J.R. Camerarius' mikroskopier i 1600-tallet, og først i løbet af 1800-tallet fik botanikerne klarhed over fotosyntesen og derved over grønkornenes funktion.[26] Det er ganske betegnende for vores fuldstændige fortrolighed med denne viden, at vi bruger udtrykket 'at fortælle om bierne og blomsterne' som en omskrivning for seksualundervisning i skolen, et udtryk som peripatetikerne ikke ville have fattet et suk af.

Hvis man tænker sig denne viden væk, bliver planten et meget mystisk væsen, helt anderledes end dyret, og i modsætning til dyreriget, hvor mennesket meget naturligt bliver primas, er der intet at orientere sig efter i planteriget.

Af praktiske grunde vælger Theofrast dog træet som udgangspunkt for sin beskrivelse af idealplanten. Træet lever i modsætning til mange andre planter i en lang årrække, og man undgår en række definitoriske problemer ved at vælge en plante, hvis synlige dele for de flestes vedkommende er flerårige.

Theofrast er meget forsigtig med at lave analogier fra dyreverdenen til planteverdenen, men alligevel bliver hans bedste gæt, at bladene har en beskyttende funktion svarende til pels og fjer hos dyrene – hvilket selvfølgelig gør det vanskeligt at forklare, hvorfor nogle træer taber bladene om vinteren (se også CP 1.20.2). I det hele taget lyser indledningskapitlerne af den vanskelige situation, Theofrast er i, fordi han skal grundlægge en ny disciplin i det peripatetiske projekt, botanikken, hvor det aristoteliske dogme om naturens formålsbestemthed – ofte formuleret 'naturen gør intet uden grund' – langtfra er indlysende.

En tredje grundlæggende forskel på Theofrasts og vores opfattelse af planteverdenen skyldes Carl von Linné og hans yderst effektive klassifikationssystem, hvorefter alle dyr og planter i verden kan indpasses i et stort system af klasser, familier, slægter og arter. Alle levende væsner kan principielt placeres efter et sæt faste klassifikationsregler i de såkaldte diagnoser, og med Linnés system opnåede man oplysningstidens ideal: et redskab hvormed man kunne overskue og derved til en vis grad beherske verden. Alt for megen tid er i de sidste to århundreder gået med at finde et tilsvarende mål for peripatetikernes undersøgelser, men det er blevet mere og mere klart, at hverken Aristoteles eller Theofrast havde et projekt som Linnés i tankerne. Dette er slået fast med lysende klarhed af Pierre Pellegrin i bogen *Aristotle's Classification of Animals*,[27] hvori han viser de uudtalte (og forkerte) forudsætninger, som har fået moderne videnskabshistorikere til at projicere den linnæiske taxonomi med de faste kategorier *genus* og *species*, slægt og art, tilbage på den peripatetiske inddeling i *genos* og *eidos*, hvis ord skuffende ligner (og selvfølgelig også i en vis udstrækning er fundamentet for) Linné. Jeg har derfor erstattet standardoversættelserne 'slægt' og 'art' med blødere, ikke så associationsskabende ord som fx 'gruppe' og 'slags'.

Opdelingen foregår som nævnt ved hjælp af begrebet

'forskel', *diafora*. 'Hvordan adskiller plante *a* sig fra plante *b*?' lyder spørgsmålet hele tiden. *Diafora* har mange ligheds-punkter med det linnæiske begreb *differentia*, men igen viser brugen hos Theofrast, at man ikke uden videre kan overføre begrebsapparatet fra 1700-tallet til Peripatos.[28] D.M. Balme har ligefrem foreslået,[29] at den moderne læser snarere skal opfatte Aristoteles' (og vel også Theofrasts) *Undersøgelser* som studier i holdbare *diaforai* end i opdelinger i *genos* og *eidos*. Det er måske at sætte sagen på spidsen, men synsvink-len er meget frugtbar: Vi står ved begyndelsen og ikke ved enden af en videnskabelig undersøgelse, og et enkelt blik på Horts index vil vise, at de fleste planter ikke er beskrevet i en sammenhængende fremstilling, men optræder som belæg for det første forsøg på at kortlægge videnskaben; de er som Ruellius[30] så rigtigt siger 'splittet ad i en sådan grad, at man ikke skulle tro, at der eksisterede én eneste hel plante i hele verden.'

Plantens dele

Theofrast benytter den velkendte aristoteliske term 'del' om de enheder, et levende væsen kan opdeles i. Del svarer som-me tider til vores begreb 'organ', andre gange ikke. Den alt-afgørende egenskab ved en del er, at den er en funktionsdyg-tig enhed; den er sammensat af mindre komponenter (de ensartede, *homøomére*, dele), som består af grundelementer, *archaí*, der igen består af de mere uhåndgribelige mindste-størrelser, *stoicheía*, varme, fugtighed, kulde, tørhed, knyttet til de fire elementer ild, luft, vand og jord. Hierarkiet ses af denne figur:

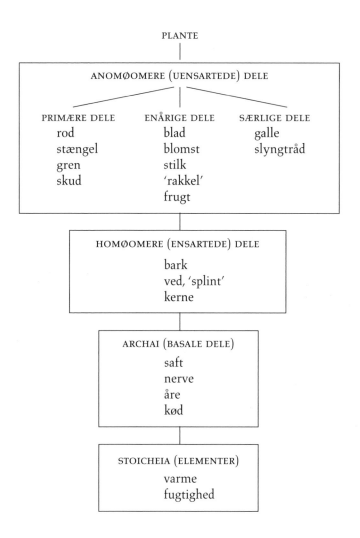

Den aporetiske metode

Det fremgår også af metodeafsnittet, at Theofrast benytter sig af en fremstillingsform, der er velkendt hos Aristoteles. Temaer formuleres som uløste problemer, *aporíer*, hvis løsning han derefter nærmer sig med forsigtige delløsninger og mange forbehold. Ofte bliver spørgsmålet hængende i luften tilsyneladende uden at være besvaret. Den aporetiske metode har irriteret flere senere forskere, særligt den i øvrigt meget kompetente Königsberg-professor E.H.F. Meyer, som kalder metoden for 'das Schweben und Schwanken dieser ganzen am Ende zu nichts führenden Untersuchung'.[31] Man må dog snarere fremhæve den som et stykke sober grundforskning, hvor der ikke drages forhastede konklusioner på et for spinkelt grundlag. Igen skal man huske på, at HP og CP ikke er lærebøger, men arbejdsredskaber for en forskergruppe. Derfor bør man heller ikke undre sig over, at der efter et tilsyneladende sikkert resultat meget ofte anføres grunde til, at det måske alligevel ikke forholder sig sådan, eller at der refereres direkte modstridende oplysninger. Uviljen mod at lægge sig fast på én bestemt forklaring er en indgroet vane, som Theofrast deler med Aristoteles.

Tre paradigmer

Som det allerede er fremgået, skyldes de grundlæggende forskelle i nutidens og peripatetikernes opfattelse af planteverdenen, at de samme fænomener i naturen tolkes forskelligt af os og dem, og at vore tolkninger skyldes det verdensbillede, vi har arvet fra de nærmest foregående generationer. Sagt på en anden måde: Peripatetikerne og vi lever i to forskellige forståelsesrammer eller paradigmer, som hver især er bestemmende for den måde, vi opfatter verden på. Det interessante er, at peripatetikerne på mange måder må have følt det samme, når de talte med græske bønder, skovhuggere og kulsviere. Den nye peripatetiske videnskab havde nøjagtig de samme problemer, som alle teorier under opbygning har: Teoridannelsen er ny, men de data, som den skal baseres på,

stammer fra den gamle verden. Hertil kommer, at peripateti-
kerne måtte benytte sig af det almindelige dagligsprog; de
havde ikke to klassiske sprog at falde tilbage på, sådan som
systematikerne i renæssancen havde, og de måtte tilmed
kæmpe med det problem, at de græske dialekter ikke altid
brugte de samme navne om de samme ting. Et godt eksempel
på dette problem er Theofrasts behandling af egetræerne i HP
3.8.1-3.9.1, oversat side 124ff.

Dette skisma mellem den videnskabelige hypotese og
meddelerens verden er efter min mening en væsentlig og
upåagtet side af det peripatetiske projekt, og jeg vil derfor i
det følgende kapitel give nogle eksempler på 'det tredje para-
digme' og på Theofrasts måde at løse denne væsentlige van-
skelighed på.

3 · Citater, vækstlag og paradigmer

Citaters natur

Når man i moderne videnskabelige værker citerer andre, sker det hovedsageligt af fire grunde: (1) man anfører en forfatter med samme mening som en selv, (2) man giver læseren mulighed for at kontrollere et udsagn, (3) man låner en god formulering fra en anden forfatter og anfører i den videnskabelige hæderligheds navn ophavsmanden, (4) man citerer et synspunkt i et andet værk, som man ønsker at opponere imod. Typografi, noter og et avanceret referencesystem gør det muligt at henvise læseren til en stadig voksende faglitteratur, som man dermed også demonstrerer sit kendskab til. En tilsvarende, omend langt mere enkel praksis kendes fra antikke forfattere fra hellenismen og særligt fra romersk kejsertid. Varro, Plinius den Ældre, Diogenes Laërtius og Aulus Gellius er gode eksempler på forfattere, der med større eller mindre præcision nævner, hvorfra de har hentet denne eller hin oplysning.

Situationen var ganske anderledes for filosofferne i Lykeion, der skulle udforske nye områder i naturen. Der fandtes kun ganske få bøger, der alle var skrevet ud fra helt andre principper og med andre formål. Derfor måtte peripatetikerne (ligesom historikeren Herodot et århundrede før og senere kredsen omkring lægen Hippokrates) i vid udstrækning bruge mundtlige kilder, hvis pålidelighed ikke altid var lige stor, og hvis syn på naturen ofte afveg væsentligt fra det paradigme, de selv arbejdede inden for.

Jeg vil i dette kapitel prøve at aflokke teksterne nogle oplysninger om kilderne til de botaniske værker ud fra de to førnævnte antagelser: (1) at det mangeårige arbejde med at ændre og forbedre manuskripterne til HP og CP har sat sig spor i bøgerne, (2) at når sporene optræder med vekslende tydelighed, skyldes det først og fremmest bøgernes karakter af arbejdspapirer. Man kan måske sammenligne dem med vækstlagene på et træ: De forveddede, faste strukturer svarer til Theofrasts klart formulerede udsagn 'sådan er det', mens vækstlagene svarer til den levende, dvs. ikke færdigbearbejdede del af undersøgelsen. Forskeren skal så at sige beskære det stadig voksende træ (somme tider er der tale om hele amputationer) for at begrænse væksten og kun beholde den tilvækst, der tegner til at bære frugt. For selv at kunne holde rede på ved og vækstlag sørger forfatteren for at have klare sproglige markører for de nuværende vækstlag. Senere vil oplysningerne forsvinde eller forvedde til kendsgerninger. Når det sker, kan deres ophavsmand kun vanskeligt eller slet ikke spores.

Forskellige former for kilder i HP og CP

Theofrast henviser meget tit til andres meninger om store og små divergenser i opfattelsen af en plantes ydeevne, størrelse, udbredelsesområde, anvendelighed osv. Der er eksempelvis ikke mindre end 50 sådanne referencer alene i HP 1 og HP 3.1-8 (dvs. ca. 75 sider), og en fuldstændig optælling ville uden tvivl vise adskillige hundreder.

Inden en egentlig eftersøgning efter kilder kan det være nyttigt at opstille en hypotese for, hvilke typer af oplysninger Theofrast kan have haft til sin rådighed. Om hypotesen kan sandsynliggøres, vil senere vise sig. Lad os operere med fire muligheder for kilder til en oplysning i HP og CP:

(1) Theofrasts (eller andre peripatetikeres) egne observationer (autopsi)

(2) informationer indsamlet af rapportører ved Lykeion (rapporter svarende til Aristoteles' forfatningsprojekt). Disse rapporter indebærer både en rapportør og en meddeler. I de fleste tilfælde er begge parter anonyme

(3) informationer indsamlet og systematiseret af andre, fx af rhizotomer, 'rodskærere', dvs. professionelle indsamlere af lægeplanter. Som det fremgår nedenfor, nævner teksten nogle rhizotomer ved navn, men det er vanskeligt at afgøre, om citaterne kommer fra en mundtlig eller en skriftlig kilde

(4) eksisterende litteratur af enhver art, særligt naturfilosofiske og fagspecifikke værker

Man skal nok ikke undervurdere (1). Oldtidens mennesker har haft et langt tættere forhold til naturen end nutidens bymennesker – fx er der 60 plantenavne i de homeriske digte, og i Aristofanes' er 101 plantenavne, som publikum forventes at kende.[32] Theofrast omtaler knap 550 forskellige planter, som for størstepartens vedkommende er almindeligt udbredt i området omkring Ægæerhavet, og hvoraf han må have set en meget stor del selv.[33] Dette betyder dog ikke, at han selv nødvendigvis har indhentet alle de oplysninger om en bestemt plante, som han indfører i sin *historia*.

Forskellen mellem (1) og (2) ligger først og fremmest i præcisionen: Er det en observation eller en rapport? I den tidligere forskning satte man stor lid til beretningen om, at Theofrast havde fået en have stillet til rådighed af Demetrios af Faleron, og der udvikledes en forestilling om, at Theofrast havde haft en veritabel botanisk have med gartnere, kunstvanding og priklebede til eksotiske planter.[34] Denne idé (der er et smukt barn af det 19. århundredes videnskabsideal) er forlængst forladt sammen med tanken om, at Theofrast på lange rejser skulle have indsamlet alle oplysninger selv,[35] men det forhindrer på ingen måde, at den myreflittige Theofrast selv kan have gjort studier i marken eller på præparater, som blev bragt hjem til Lykeion. I HP 1.7.1 nævnes eksempelvis en platan i Lykeions have: 'I hvert fald er platanen i Lykeion, den ved vandingskanalen, blevet ca. 33 alen [15 m] høj, selvom den er ganske ung, fordi den på én gang har både plads og næring.' Til (2) hører måske også meddelelser [HP 4.7.3-7; 9.4; CP 2.5.5], som er indsamlet under Alexander den Stores felttog, se oversættelser side 139ff og 145ff.

Gruppe (2) adskiller sig fra (3) ved, at synsvinklen og derfor fortolkningen er forskellig, hvad indsamleren angår – derimod tilhører meddeleren under alle omstændigheder 'den anden verden'.

Gruppe (3) og (4) er delvis sammenfaldende, fordi det i mange tilfælde er umuligt at afgøre med sikkerhed, om en person, der citeres for et eller andet, har skrevet dette ned eller er blevet interviewet. Der er således også mulige overlapninger mellem (2) og (3).

Navngivne personer i HP og CP

Vi skal senere gå mere i detaljer med spørgsmålet om navngivne personer i de botaniske værker, men indledningsvis kan en liste over alle personer, som nævnes i HP og CP give et indtryk af, hvor sjældent en oplysning henføres til en bestemt person.[36] Den følgende liste opregner alle personnavne, som nævnes i HP og CP. Personer nævnt i parentes optræder ikke med navns nævnelse i teksten, men antages af nogle at være kilde til den pågældende indberetning.

Alexandros makedonsk konge [HP 4.4.1, 4.4.5, 4.7.3]

Alexias farmakolog og læge, Thrasyas' elev 300-tallet (?)
[HP 9.16.8]

Anaxagoras naturfilosof, fysiolog, forvist fra Athen i 412
[HP 3.1.4, CP 1.5.2]

(Anaxikrates) en af Alexander den Stores admiraler [HP 9.4]

(Androkydes) Alexander den Stores læge [HP 4.16.6]

(Androsthenes) fra Thasos, flådeofficer i Nearchos' flåde (325),
forfatter til en beskrivelse af Tylos [CP 2.5.5; HP 4.7.7]

Androtion forfatter til en bog om dyrkede træer, bl.a. oliven,
myrter, granatæbler [HP 2.7.2-3; CP 3.10.4]

Antigenidas fløjtespiller, ca. 400-370 [HP 4.11.4]

Antigonos hærfører, (HP 4.8.4 synes at være skrevet efter hans
død i 301, 9.4.8)

Archippos archont i Athen 321/320 (eller 318/317) [HP 4.14.11]

Aristophilos fra Platææ, farmakolog [HP 9.18.4]

Bagoas den Ældre måske perserkongen Artaxerxes Ochos'
betroede eunuk [HP 2.6.7]

Chairemon tragiker, Aristoteles' lidt ældre samtidige [HP 5.9.4]

Chartodras ukendt gødningsekspert; navnet måske forskrevet
[HP 2.7.4]

Dareios perserkonge 336-330 [HP 2.2.7]

Demetrios Poliorketes hærfører (erobringen af Megara 308)
[HP 5.2.4], (magthaver over Kypern 306-294) [5.8.2]

Demokritos naturfilosof ca. 400 [CP 1.8.2, 2.11.7, 6.1.2, 6.1.6,
6.10.3, 6.17.11]

Diogenes fysiolog fra Apollonia (?) [HP 3.1.4]

Dionysios tyran i Syrakus [HP 4.4.1], (d.æ.) [4.5.6]

Elpenor en af Odysseus' svende [HP 5.8.3]

Eudemos fra Chios, farmakopol [HP 9.17.2-3]

Empedokles naturfilosof, 400-tallet [CP 1.7.1, 1.12.5, 1.13.2,
1.21.5]

Harpalos Alexanders finansminister, d. 324 [HP 4.4.1]

Helene mytisk dronning fra Sparta [HP 9.15.1]

Hesiodos arkaisk digter [HP 3.7.6, 8.1.2, 9.19.2]

Hippon fra Samos (?) 400-tallet [HP 1.3.5, 3.2.2]

Homer arkaisk digter [HP 3.1.3, 9.15.1, 9.15.7]

Kirke troldkvinde i *Odysseen* [HP 5.8.3]

Kleidemos fysiolog [HP 3.1.4, CP 1.10.3, 3.23.2, 5.9.10]

Leofanes jonisk eller attisk naturfilosof tidligt i 400-tallet (?) [CP 2.4.12]

Menestor pythagoræer fra Sybaris (*DK* 32) [HP 1.2.3, 5.9.6, CP 1.17.3, 1.21.6, 2.4.3]

Musaios mytisk digter [HP 9.19.2]

Nikodoros archont i Athen 314/313 [CP 1.19.5]

Ofellas kyrensk hærfører, angreb Karthago 308 [HP 4.3.2]

Pandeios billedhugger, måske Skopas' medarbejder ved tempel-byggeriet i Tegea i midten af 300-tallet [HP 9.13.4]

Peisistratos tyran i Athen, d. 527 [HP 2.3.3]

Platon [HP 6.1.4]

Satyros student i Lykeion (?) [HP 3.12.4]

Simonides archont i Athen 311/310 [HP 6.3.3]

Thettalos tyrannen Peisistratos' søn [HP 2.3.3]

Thrasyas fra Mantineia, farmakolog, Alexias' lærermester [HP 9.16.8, 17.1-2]

Kun et fåtal af disse personer har skrevet værker om botaniske emner. Ifølge Einarson & Link [I. s. xx] drejer det sig om fem: Androtion, Chartodras (som muligvis er en forskrivning af Chaireas og Androtion), Kleidemos, Leofanes, Menestor, hvis værker må have beskæftiget sig med landbrug. Om Theofrast har haft skriftlige kilder fra rhizotomerne, fx Thrasyas, er et åbent spørgsmål, se nedenfor side 99ff. Det er dog vigtigt at fastslå, at citaterne fra den eksisterende litteratur kun udgør en mikroskopisk del af kildematerialet, og at flere af de øvrige citerede forfattere er naturfilosoffer (Anaxagoras, Empedokles), som kun i meget generelle vendinger har beskæftiget sig med botanik.

Det er iøjnefaldende, at kollegerne i Lykeion (Aristoteles,

Fainias o.a.) aldrig nævnes. Theofrast overholder altså i mange tilfælde den samme uskrevne regel som Aristoteles, ifølge hvilken nulevende forfattere og kolleger ikke nævnes ved navn. I ét tilfælde optræder der en Satyros, som – med rette tror jeg – af udgiverne opfattes som navnet på en student eller medarbejder fra Lykeion. Han bliver nærmere behandlet side 81ff.

Ikke-benyttet litteratur

Vores viden om faglitteraturen i 300-tallet er meget begrænset. Der er dog flere antydninger af, at der fandtes andre håndbøger i landbrugskunsten, end de få, Theofrast anfører. Den pseudo-platoniske dialog *Minos* må være skrevet i slutningen af 300-tallet (altså samtidig med Theofrast). Den omtaler [316c-d] en række fagbøger for læger, landmænd, gartnere og kokke. Aristoteles nævner i *Politikken* [1258b30-1259a2] Charetides fra Paros og Apollodoros fra Lemnos som forfattere af sådanne skrifter. Ingen af disse citeres af Theofrast. På samme måde er der ingen spor i HP og CP af Xenofons værk om kunsten at administrere en husholdning, *Oikonomikos*. I kapitel 15-21 findes den ældste samlede fremstilling af attisk landbrug, og bogen indeholder mange praktiske anvisninger om såtider, høst, plantning osv.[37] *Oikonomikos* må være skrevet i 360erne og indgår i et andet peripatetisk værk, se nedenfor side 91. Det kan ikke udelukkes, at der blandt de anonyme kilder skjuler sig et eller flere af disse værker, men hvis Xenofons *Oikonomikos* kan bruges som målestok for genren, kan en teoretiker som Theofrast ikke hente meget, som han ikke ville finde bedre ved at spørge en attisk bonde. Dette bekræftes af det lille antal navngivne forfattere i listen.

De anonyme kilder

De følgende overvejelser skal vise, at Theofrasts bøger i vid udstrækning bygger på oplysninger, som er indsamlet af andre både i og uden for det græske område. Theofrast er ligesom Aristoteles ikke særlig meddelsom med hensyn til sin metode, men giver dog hist og her en antydning, som fx når han efter en længere udredning om uforklarlige forandringer eller 'spring' (*metabolai*) mellem forældre og afkom i kornsorterne bemærker:

> Man kan bedre – eller måske kun – give en detaljeret fremstilling af dette, hvis man gennem en indsamling af oplysninger (*historia*) får en fortrolighed (*empeiria*) med landet og egnen. [CP 2.13.5]

Theofrast bruger her *historia* i singularis, og betydningen adskiller sig klart fra den sædvanlige brug af pluralis, hvor meningen er 'bøgerne hvori undersøgelsen findes'. Oversættelsen støtter sig til Einarsons udlægning af stedet, og hvis den er korrekt, må vi kunne slutte følgende:

(1) *historia* bruges her som en teknisk betegnelse for 'indsamling af materiale i en rapport', altså snarere processen end resultatet i bogform

(2) den anonyme person 'man' (*tis*) må være en peripatetiker. Både Aristoteles og Theofrast bruger ofte denne betegnelse for en interesseret og velorienteret person, der kunne tænkes at rejse et spørgsmål, komme med en indvending osv. Det er måske ikke så vigtigt at bestemme personens identitet nærmere, men jeg tror, han i dette tilfælde er Theofrast selv, der som redaktør og udgiver mangler oplysninger for at kunne

komme videre med et bestemt emne; det kan imidlertid skaffes ved et større kendskab til lokaliteterne gennem en *historia* på stedet

(3) denne *historia* vil være topografisk bestemt

(4) der er hverken en angivelse af, hvem der skal stå for denne *historia*, eller en antydning af, at forfatteren skal gøre det. Derimod tyder tekstens ordlyd på, at indsamlingen tager nogen tid

Præcis hvordan den pågældende *historia* skulle finde sted, kan man derfor ikke sige, men de følgende seks eksempler kan alligevel give ret klare indicier om fremgangsmåden og om det paradigme, som oplysningerne indsættes i. De to første illustrerer, hvordan Theofrast forholder sig til udefra kommende oplysninger, som han delvis indarbejder i sit materiale.

Eksempel 1:
Pilen i Filippoi og platanen i Antandros

I CP 5.4 diskuterer Theofrast forandringer i planter, som enten sker af sig selv eller ved menneskelig indgriben. Han indfører endnu en forskel, *diafora*: naturlig/unaturlig og opregner derefter en række specialtilfælde. De unaturlige tilfælde slutter med følgende (tilsyneladende unaturlige) historie. Læg mærke til parentetiske indskud og det næsten refleksagtige forbehold i Theofrasts forklaring på årsagen til den mærkelige hændelse. – Antandros ligger nær Troja, Filippoi i Makedonien.

Hvis det sker, at et træ, der er væltet i stormen, rejser sig op igen (sådan som en pil i Filippoi og en platan i Antandros gjorde, uden at der blev fjernet andre grene fra pilen end dem, der knækkede ved faldet, mens der blev fjernet grene fra plantanen, som også blev delvis afbarket), så ville man nok gå ud fra, at årsagen (*aitia*) er denne: Pilen faldt ned på den ene side og trak en mængde jord med op, og om natten opstod der en strid vind fra den modsatte retning, som satte gang i træet, fordi den tog fat i grenene. Den opkastede jord dannede så en kontravægt og fik det væltede træ på højkant igen. Sådan forholdt det sig med træet i Filippoi. Det andet blev sat i bevægelse på samme måde og trak også jord med op, men på grund af afbarkningen gik det lettere. Disse eksempler falder måske uden for de naturlige årsager (*aitiai*), men hvad angår årsagen i planterne selv, må man forsøge at undersøge og forstå dem på baggrund af det, der er sagt i det foregående. [CP 5.4.7]

Den samme historie om de selvbevægelige træer dukker op igen i HP 4.16 i en helt anden sammenhæng, hvor Theofrast er i færd med at beskrive forskellige planters tolerance over for beskadigelser, fx afklipning af topskud og afbarkning. Han fortsætter:

Nogle træer kan tåle afbarkning, både når de står på roden, og når de er fældet af vinden, og så kan de rejse sig igen og leve og skyde – eksempelvis pil og platan. Det er hvad der skete i Antandros og Filippoi. Der var nemlig væltet en platan, og de skar grene af den og afbarkede den. Men om natten rejste platanen sig, fordi den var blevet lettet for sin vægt, og den kom sig, og barken groede sammen igen. To tredjedele af stammen var nemlig afbarket.

Træet var meget højt, mere end 10 alen, og så tykt, at fire mænd lige akkurat kunne nå rundt om det.

Pilen i Filippoi fik hugget grenene af på den ene side, men det blev ikke afbarket. En varselstyder (*mantis*) overtalte dem til at foretage et offer og bevare træet, fordi det, der var sket, var et godt varsel. I Stageira, ved museion, var der også en væltet sølvpoppel, som rejste sig. [HP 4.16.2-3]

Kommentar

Der er flere ting i denne lille historie, som kaster lys over Theofrasts arbejdsmetoder:

(1) Den samme oplysning bruges to gange, men til belysning af forskellige spørgsmål: I CP ønsker Theofrast at vise, at der ikke er noget mystisk ved, at et væltet træ kan rejse sig op igen; han bemærker til sidst, at historien nok slet ikke hører hjemme i denne sammenhæng, fordi der er tale om kræfter uden for træet selv. I HP bruges den som eksempel på, at nogle træer kan tåle ekstrem hård beskæring og afbarkning uden at gå til. Det er værd at bemærke, at de to træ-eksempler følges ad, men at der i HP er tilføjet en note om et paralleleksempel fra Stageira. I HP 2.2.6 omtales farveforandringer fra rød til sort i bærrene hos laurbær og myrte, og det siges henkastet: 'Sådan som det skete med den (laurbærtræet eller myrten?) i Antandros'. Læseren formodes at kende eksemplet, som ikke omtales andre steder i de bevarede værker, men bemærkningen forudsætter, at Theofrast har haft en mundtlig eller skriftlig rapport, hvori denne oplysning fandtes. Antandros er desuden nævnt i HP 5.6.1, hvor læseren i forbindelse med en gennemgang af tømmers bæreevne får at vide, at tømmer af kastanjetræ giver en lyd fra sig, førend det

knækker, '... så man er advaret. Et sådant tag faldt ned i bade-
anstalten i Antandros, og alle nåede ud.' Hvor ved Theofrast
dog den slags fra? Sandsynligvis fra en tømrer eller en eks-
pert i træfældning. Kendskabet til vedkvalitet og til forvars-
ler om brud hører til træmænds børnelærdom. Som histo-
rien bliver fortalt, må der altså have været en sagkyndig til
stede i badeanstalten, da taget begyndte at knage, og han eller
et andet øjenvidne med forstand på sagens rette sammen-
hæng har fortalt Theofrast eller hans rapportør om begiven-
heden.

(2) Ud over træernes og lokaliteternes navne er der intet
sammenfald af gloser og udtryk i de to beretninger, og oplys-
ningerne er temmelig forskellige. Der er altså ikke tale om en
afskrift fra HP til CP eller omvendt, men om en fri bearbej-
delse af et forlæg, som kan være mundtligt (en erindring)
eller snarere skriftligt (en rapport eller en form for kartotek
over mærkelige hændelser). Bearbejdelsen af forlægget kan
sagtens være foretaget af den samme person, hvad enten for-
lægget har været en erindring eller en nedskrift.

(3) Af HP-versionen fremgår det ikke tydeligt, at platanen i
Antandros rejste sig op igen. Oversættelsen er en fortolk-
ning af *anefye* 'voksede ud/op', og kun gennem CP-versionen
og det tilføjede eksempel om sølvpoplen i Stageira kan man
forstå sammenhængen.

(4) Platanens dimensioner synes umiddelbart mærkelige:
Den har en omkreds på 6-7 meter (fire mands rækkeevne) og
en højde på 10 græske alen eller ca. 4,5 meter. Amigues fore-
slår meget plausibelt i sin kommentar, at højdemålet går på
stammen op til grenene og sammenligner det enorme og
meget gamle træ med den nulevende 'Hippokrates' platan'

på Kos. Man kunne hertil føje den platan, som Agamemnon plantede i Delfi, se nedenfor HP 4.13.2, side 158 og planche XVI. Under alle omstændigheder har træet været noget ganske særligt, og Theofrasts kilde har mærket sig målene på gavntræet og ikke på grenene, der kun kan bruges til foder eller brænde.

(5) Varselstyderens rolle i historien er også interessant. Set med Theofrasts øjne er begivenheden en naturlig konsekvens af de fysiske love, som Aristoteles så udmærket havde gjort rede for i sine forelæsninger, men denne *mantis* (og som følge af hans udlægning også lokalbefolkningen) tolker den helt anderledes, og der ofres (til træet?), fordi dets genrejsning er et godt varsel, formentlig for byen Filippoi som helhed. Theofrasts personlige mening om sagen kommer vel indirekte til udtryk i bemærkningen 'fik dem overtalt til at ofre'. Se også bemærkningen om egetræer, der bliver ramt af lynet i HP 3.8.5, side 127.

(6) Egentlig er historien med varslet sagen ganske uvedkommende, og hvis Theofrast havde udeladt den i begge versioner, ville vi aldrig have anet dens eksistens – eller have savnet den. Når den overhovedet er kommet med, må det skyldes, at den er en god pointe, og at den allerede var det i forlægget.

De omtalte historier fra Antandros danner tilsammen dette billede af indsamlingsforholdene: De tre mærkværdige begivenheder (spontant opståede farveforandringer i bær; et træ, der selv vipper på plads; et loft af kastanjetræ, der bryder sammen) er så usædvanlige, at de næppe er indtruffet samtidig, og mens en peripatetisk forsker var i byen. De er derfor indsamlet af en interesseret besøgende (Theofrast eller en assistent), der har registreret mærkværdige botaniske (og muligvis andre) fænomener i den lille by. Andre oplysninger fra Troas stammer måske fra samme ekspedition, men Antandros nævnes ikke mere i teksten.

Eksempel 2: Eileithyias udflåd

Den følgende lille samling oplysninger drejer sig om træsorter, der i bearbejdet tilstand kan udskille olie- eller harpiksagtige sekreter, eller kan skyde. Her omtales et fænomen, som igen viser skellet mellem Peripatos og den almindelige græker. – Eileithyia er navnet på fødselsgudinden.

> Nogle træsorter sveder, som fx taks og i det hele taget dem med en olieagtig fugtighed. Derfor siger man også, at gudebilleder sommetider sveder; man laver dem nemlig af disse træsorter. Det, som varselstyderne kalder 'Eileithyias udflåd', og som de udfører soningsofre for, forekommer hos ædelgran, når der samler sig en vis mængde fugtighed. Det er rundt i formen og har en størrelse som en pære, eller også lidt større eller mindre. Oliventræ kan i særlig grad skyde, når det ligger skovet eller er forarbejdet. Det sker tit, hvis det optager fugtighed og har en fugtig placering. Der var fx engang en dørtap, der satte skud, og ligeledes en åre, som stod i fugtig jord i en lerkrukke. [HP 5.9.8]

Omtrent de samme oplysninger kommer i en lidt anden rækkefølge i CP:

> Der er ikke noget mærkeligt i, at træstykker kan skyde af sig selv (som fx oliven og så videre – det som folk regner for jærtegn og varsler). Af natur er de nemlig sejlivede og kan skyde på grund af deres vedtæthed og saftrigdom. De

sætter skud, så snart de får noget fugtighed udefra. Som regel skyder de, når de bliver gravet ned et fugtigt sted (bortset fra at et stykke træ kan skyde kort efter fældningen, fordi det stadig har den skabende fugtighed opsamlet i sig, og hvis vækstsæsonen er nær). Det svarer på en måde til strandløg og andre, som udsender et skud. Gevæksterne på veddet er lige sådan, særligt dem på ædelgran, som varselstyderne kalder Eileithyiaer. Sådan en gror fortrinsvis ud, når vejret er mildt og behageligt, og den iboende fugtighed har samlet sig, og der er fugtighed i luften. Så stivner de to slags fugtighed og danner noget af form som en bold.

Tilsvarende med træstykker, der sveder; det sker nemlig også, når vinden er i syd, og vejret er fugtigt – ikke i alle tilfælde men i det ved, hvori der findes olie (fx ceder-, cypres- eller oliventræ); dette opfatter folk som jærtegn og varsler. [CP 5.4.3-4]

Kommentar

Til de førnævnte træk ved Theofrasts registreringsmåde kan man føje:

(1) Theofrast giver en rationel forklaring på, at gudebilleder af træ sommetider sveder. Der er ingen tvivl om, hvad han selv mener om den folkelige forklaring på fænomenet, men når det alligevel noteres i sammenhængen, skyldes det, at læseren formodes at kende den.

(2) varselstydernes sproglige udtryk overtages uden videre, selvom det ingen mening giver for en peripatetiker. Der gøres ingen forsøg på at skabe en ny, mere dækkende nomenklatur. Der er ikke givet nogen entydig forklaring på udtryk-

ket,[38] men varselstyderen må have opfattet gevæksten på ved af ædelgran som en monstrøs 'fødsel' i træet, som varsler ondt og derfor skal sones.

(3) den rationelle forklaring sættes ind i en større peripatetisk sammenhæng: vejr- og vindforhold, træets beskaffenhed osv.

Theofrasts egne observationer?

I princippet kunne materialet til eksempel 1 og 2 være indsamlet af Theofrast selv, ligesom oplysningen om platanen i Lykeion (HP 1.7.1). J.E. Raven[39] strejfer i en af sine forelæsninger spørgsmålet om Theofrasts selvstudier. Han går ligesom Kirchner ud fra, at Theofrast har samlet alle oplysninger selv og nævner ud fra egne praktiske erfaringer, at noter taget i marken ikke altid bliver omformuleret til 'intelligible prose on their return from an excursion'. Argumentet er nu ikke så godt, som det umiddelbart kunne lyde, for Theofrasts sprog bærer i hvert fald i eksempel 1 og 2 netop ikke præg af at være løsrevne sætninger på en skrivetavle, men af en bearbejdelse af et foreliggende materiale. Sproglige undersøgelser af Theofrasts sprog tyder i samme retning, se nærmere side 98f.

Nogle gange er det indlysende, at andres indberetninger er indgået i manuskriptet, men det indeholder også en mængde oplysninger fra kildemæssig gråzone. Hvordan kan man vide, at en oplysning fra fx Makedonien stammer fra egne iagttagelser? Denne detalje kan synes ligegyldig, men to eksempler kan illustrere, hvor problematisk det er ikke at tage indsamlerhypotesen i betragtning. Det er ikke formålet at hænge to velmeriterede forskere ud, men kun at fremhæve, hvor farligt det er at drage konklusioner ud fra uover-

vejede forudsætninger. I en monografi om Theofrasts viden-
skabelige udvikling søger Konrad Gaiser[40] ud fra nogle obser-
vationer fra Assos (omtalt i bogen *Om sten*) at vise, at den
kun 25-årige Theofrast må have haft den og den mening, da
han sammen med Aristoteles besøgte Hermias i årene umid-
delbart efter Platons død i 347. Theofrast siger intet om,
hvem der har samlet oplysningerne eller hvornår, og hvis ob-
servationerne skyldes en student fra Lykeion og ikke Theo-
frast selv, falder hele forestillingen om en tidlig udvikling fra
en platonisk over en aristotelisk til en særlig theofrasteisk
holdning til naturvidenskab fuldstændig fra hinanden.

Det andet eksempel stammer fra den hæderkronede en-
gelske historiker N.G.L. Hammonds bog om den makedon-
ske stat.[41] Hammond er på dette sted i gang med en analyse af
Filip II's forsøg på at modernisere sin stat ved at inddrage nyt
agerland og derved begrænse 'transhumant pastoralism', dvs.
en form for kvæg- og fåreavl, hvor flokkene sommer og vin-
ter drives eller snarere selv går til de områder, hvor der er
foder – svarende til samernes rensdyrhold i nutiden. Han an-
fører to kilder til sin ret omfattende hypotese om Filips ønske
om landsbrugsreformer: En indskrift fra 335/334, hvori der
omtales noget uopdyrket jord (*argos*), som skal deles mellem
makedonere og thrakere, og et sted i CP, hvor Theofrast i for-
bindelse med en diskussion af luftens 'tykkelse' i vådområ-
der og dennes indflydelse på temperaturen skriver:

Det bestyrker også den antagelse, at hård frost optræder
mindre i bjergene end på sletterne. Luften er nemlig let-
tere og mere bevægelig. Lokalstudier styrker også tiltroen
til dette synspunkt, for i Thessalien er der faktisk mest
barfrost i området omkring Kieros (stedet ligger i en lav-
ning og har meget vand). I Filippoi frøs <træerne> ofte
meget, men nu, hvor det meste vand er blevet drænet ned

i undergrunden, og al jorden er blevet landbrugsjord, sker det i langt mindre grad, fordi luften er blevet lettere af to årsager: Vandet er forsvundet, og landet er blevet kultiveret. For ukultiveret land (*argos*) er koldere og har en tykkere luft (*her mangler formentlig et par ord i manuskripterne*), fordi det er skovrigt, og solen ikke så let kan nå ned til det, og vinden ikke kan blæse det igennem. Samtidig har et område af den art flere vandhuller. Sådan var der altså ved Kremides, da thrakerne boede der, for hele sletten var fuld af træer og vand. [CP 14.5-6]

Kremides er det gamle thrakiske navn for Filippoi, som fik sit navn, efter at Filip i 358 havde erobret byen. Men hvad betyder det, når Theofrast siger 'nu'? Hammond skriver: 'Theophrastus visited the area ca. 336. He noted that new flora had established themselves.' Der er i virkeligheden tale om en gentagelse fra tidligere (s. 5), hvor Hammond lader Theofrast citere egne erfaringer fra 336 vedrørende vindforholdene i Aigiai. Men hvorfor skulle netop disse oplysninger stamme helt tilbage fra 336 ('nu'), og hvad med de mange andre oplysninger fra Filippoi?[42] Metodisk set er det uholdbart at gå ud fra, at Theofrast skulle have samlet netop disse oplysninger og ikke andre i området, og i dette tilfælde betyder det nok desværre, at dræningsprojektet ikke kan dateres så klart, som Hammond gerne vil, og at Filip II derfor næppe aspirerer til at blive æresmedlem af Hedeselskabet for sine anstrengelser med landvinding i Thrakien.

Anonyme meddelere og sproglige markører

Mens vi altså ikke med sikkerhed kan finde Theofrasts egne iagttagelser, er det let at kende dem, han selv tilskriver andre. I de to botaniske værker er der hundredevis af referencer af typen 'de siger, at ...'. Brugen af anonyme eller delvis anonyme kilder er i øvrigt meget hyppigere i HP end i CP. Grunden hertil kan være, at CP er et mere gennemarbejdet værk end HP, og at rapporterne derfor er bedre indarbejdede, men kun et nærmere studium vil kunne afgøre, om denne hypotese er sand.

Citaterne begynder med et begrænset antal indledningsord med grundbetydningen 'de siger', λέγουσι, φασί, 'mener', οἴονται, 'opdeler', διαφέρουσι eller (især i forbindelse med dyrkning) 'anbefaler', κελεύουσι. De anonyme hjemmelsmænd omtales tilsyneladende altid i pluralis i modsætning til de navngivne enkeltpersoner og omskrivningerne for den peripatetiske forsker ('man', τις, eller upersonlige konstruktioner med gerundivformer af verber af typen 'dette må undersøges nærmere'). Pluralisformerne angiver med andre ord en gruppe personer, der har den pågældende mening og har oplyst den til den interesserede peripatetiker, som hermed viderebringer den.

Citatets omfang er som regel tydeligt markeret, først og fremmest af den grammatiske konstruktion 'akkusativ med infinitiv', der svarer til vores citationstegn. Denne måde at angive citater på er ganske almindelig i både græsk og romersk litteratur. Eksempelvis bruger den græske historiker Diodor (1. årh. f.Kr.) konstruktionen akkusativ med infinitiv side op og side ned, når han citerer en kollegas værker og ønsker at fremhæve, at han citerer ordret. Denne citatform medfører en gennemgående omskrivning af teksten og en (i hvert fald set med vore øjne) ikke ringe opmærksomhed fra afskriverens side, idet alle verbalformer i hovedsætningerne skal ændres til infinitiv, ligesom alle nominativformer skal ændres til akkusativ, hvorimod ledsætningerne som regel bliver bevaret i den oprindelige form. En enklere løsning er at indlede citatet med 'de siger, at ...' (λέγουσιν ὅτι). I mod-

sætning til Diodor, der udelukkende benytter sig af eksiste-
rende, gennemarbejdet historieskrivning, er rapporterne i
Theofrasts værker enten mundtlige eller nedskrevet til brug
for Peripatos, og man kan derfor spekulere over, hvilken form
de skriftlige rapporter havde, når de nåede Athen. Der er to
muligheder: Enten har de foreliggot i den form, hvori de blev
kopieret ind i *Historia*, eller også er de blevet bearbejdet ved
indskrivningen. For det sidste taler de undersøgelser af Theo-
frasts sprog, som særligt Hindenlang og siden Einarson og
Linck har foretaget; disse undersøgelser vil blive nærmere
omtalt side 98f. I denne forbindelse er det vigtigste, at de sy-
nes at godtgøre, at den tørre tekst udviser en udpræget stili-
stisk egalitet, som er utænkelig, hvis teksten i rapporterne
blot var kopieret uden bearbejdelse. Det løser ikke problemet
vedrørende rapportens form (mundtlig eller skriftlig) og
dens lagring (som selvstændig bogrulle eller som en form for
kartotekskort), men den gennemarbejdede form taler nok for
et skriftligt forlæg.

Man kunne i øvrigt overveje, hvilke sproglige nuancer de
ovenfor nævte markører har – ud over den generelle præci-
sering af, at oplysningen står for andres regning. Et egentligt
svar på dette spørgsmål må vente til en nærmere undersø-
gelse af de mange hundrede eksempler, men der må være for-
skel på den blotte konstatering 'de siger' og udtryk som 'de
opdeler' og 'de anbefaler', der begge indicerer et spørgsmål
fra den peripatetiske rapportør og en præcisering af medde-
lerens holdning.

Der er endnu et par forhold ved citaterne, som er værd at
bemærke: (1) Sommetider anføres alternativer 'nogle siger ...
andre siger', eller 'de er uenige om ...', hvilket igen tyder på
en redaktørs disposition af teksten. (2) I de fleste tilfælde ind-
ledes citaterne med præsens ('de siger, at ...'), men en gang
imellem anføres oplysninger i præteritum: 'de sagde, at ...',

ἔλεγον; vi vender tilbage til en tolkning af dette. (3) Theofrast kommenterer kun sjældent værdien af disse oplysninger (sådan som han gjorde i eksempel 1 og 2), men afslutter ofte med en bemærkning om, at spørgsmålet kræver yderligere undersøgelse.

I de fleste tilfælde er kilden fuldstændig anonym, men der er mange eksempler på, at en nærmere defineret gruppe citeres for et eller andet synspunkt. Det kan være eksperter såsom kulsviere og andre skovfolk, landmænd og indsamlere af lægeurter (rhizotomerne), eller de kan omtales ved deres hjemsted som makedonerne, arkaderne, folkene på Idabjerget osv. Vi skal senere se, at der ofte kan være tale om de samme grupper, der blot benævnes forskelligt alt efter, hvad deres oplysninger skal bruges til.

De følgende to eksempler vil illustere Theofrasts fremgangsmåde.

Eksempel 3: 'nogle siger ...'

I HP 5 er Theofrast i færd med at redegøre for vedstrukturen i forskellige træsorter, og han kombinerer her *diaforai* mellem sorterne og andre oplysninger fra Grækenland (som han bringer uden reservation) med oplysninger fra Syrien, som han omhyggeligt citerer i indirekte tale. For at tydeliggøre forskellen i den danske oversættelse er den indirekte tale indrykket i forhold til hovedtekstens direkte tale.

I forbindelse med de enkelte træers særlige natur er der følgende forskelle <i vedstrukturen>: tæt og løs struktur, tyngde og lethed, hårdhed og blødhed og andre tilsvarende. Disse forskelle er fælles for både dyrkede og vilde træer, og man kan derfor tale om dem alle på én gang.

Buksbom og ibenholt synes at være de mest kompakte og de tungeste træsorter. De kan heller ikke flyde på vand. Dette gælder alt buksbomved, men kun kerneveddet af ibenholt, dér hvor det er sort. Blandt de andre er der også nældetræ. Egens kerneved er også tæt, det man kalder 'sorteg'. Det gælder i endnu højere grad guldregn, der synes at svare til ibenholt.

Terpentintræets ved er også sort og meget tæt. I hvert fald siger de (φασίν), at

> der i Syrien findes en slags, der er sortere end ibenholt. Af det laver de skæfter til deres håndvåben, og de drejer også Therikles-kylixer af det, så ingen kan kende forskel på dem og lertøjet. Man skal oliere træet, for så bliver det smukkere og sortere.
>
> Der er også et andet træ, som foruden det sorte har en farve henad det rødlige, så dets udseende minder om broget ibenholt. Det laver de senge og stole og andre kostbare møbler af. Træet er meget smukt i bladene og ligner et pæretræ.
>
> Disse træer har altså altså på én gang sorthed og tæthed ... [HP 5.3.1-3]

Kommentar

(1) der er både tale om 'kendsgerninger' i direkte tale og refererede oplysninger i citationstegn (akkusativ med infinitiv)

(2) vi får ikke at vide, hvorfra Theofrast har fået oplysningerne, men det lyder unægteligt, som om han har talt med nogle fagfolk, der har været i Syrien og har set de to træer, hvoraf kun det ene kan sammenlignes direkte med det græske *terminthos*, 'terpentintræ'

(3) de praktiske oplysninger om anvendelighed spiller en stor rolle. Som ved identifikationen af blade og ved bruges objekter, der formodes at være velkendte af læseren. Theriklesskålene er på sin vis udtryk for den samme form for identifikation. Therikles var en berømt pottemager i slutningen af 400-tallets Athen, og hans navn blev i det følgende århundrede varemærke (som Bing & Grøndahl!) for en bestemt keramiktype, hvis glinsende sorte overflade Theofrast bruger som sammenligning

Eksempel 4: 'makedonerne siger'

Der er også forskel <i løvspring> hos forskellige træer af samme slags på grund af deres voksested. Træerne i marskområderne springer først ud, efter hvad makedonerne siger, de næste er dem på sletterne, og sidst kommer dem i bjergene. [HP 3.4.1]

Kommentar

(1) i dette citat fra en rapport lader Theofrast meddelerne tale uden selv at kommentere oplysningerne om biotopens indvirkning på løvspring. Måske er han enig, men makedonerkilden er stadig refereret med navn; den skal åbenbart verificeres, førend referencen til den kan fjernes

(2) hvis det var generelt anerkendt i Peripatos, at der er en direkte sammenhæng mellem tidspunktet for løvspring og træets voksested, ville makedonernes iagttagelse og referatet af den være inderligt ligegyldige. Det er derimod ikke ligegyldigt, hvem der har sagt det, førend hypotesen er efterprøvet ved flere iagttagelser og ophøjet til en kendsgerning

Kildernes relevans for Theofrast og for os

De hidtidige iagttagelser kan sammenfattes således: HP og CP indeholder en meget stort antal citater, som er tydeligt genkendelige ved sproglige markører. Citaterne er enten anonyme eller anføres med angivelse af meddelerens erhverv eller stammemæssige tilhørsforhold, *ethnikon*. Bag de synlige citater ligger et ukendt (og uidentificerbart) antal referencer, der er forsvundet samtidig med, at deres oplysninger er blevet indarbejdet i teksten, fordi de er optaget i den peripatetiske standardviden, som teksten er et udtryk for.

Theofrasts måde at citere på er sommetider blevet kritiseret for ikke at omfatte de væsentlige, grundlæggende træk i botanikken, men kun detaljer af mindre betydning. Denne kritik skyldes efter min mening en manglende forståelse af citatets væsen. Theofrast er ikke interesseret i kilden til en oplysning, hvis sandhed han ikke betvivler og derfor har overtaget som sin egen. Citaterne handler kun om de mange oplysninger, hvis værdi han ikke er sikker på og derfor ikke vil indlemme i sit værk. Det er vigtigt at lægge mærke til, at citaterne ikke optræder i begyndelsen af bøgerne, hvor de grundlæggende fakta fremlægges, og at citathyppigheden øges, jo længere ned i detaljen Theofrast kommer.

Endvidere giver distinktionen væsentlig/uvæsentlig kun mening, hvis undersøgelsens resultater er fastlagt og kendes til bunds. Det gør en *historia* per definition ikke, og den vil derfor til enhver tid indeholde oplysninger, hvis relevans ikke kan afgøres, og som den samvittighedsfulde peripatetiker derfor må lade stå for det tilfælde, at oplysningen senere hen viser sig at være vigtig. For studiet af Theofrasts arbejdsmetode er de synlige, ikke integrerede citater derfor af afgørende betydning, hvor uinteressant en eller anden oplysning end måtte synes. Den sproglige indpakning viser, at her er en oplysning, som *kan* blive en kendsgerning, men endnu ikke er tilstrækkeligt afprøvet til at fortjene en uforbeholden fremstilling. Ved næste granskning ville den enten være blevet slettet eller ophøjet til en kendsgerning. I begge tilfælde ville vi ikke have anet, at usikkerheden havde eksisteret. Jeg er derfor ikke enig med Raven,[43] når han på baggrund af en vekslen mellem direkte og indirekte tale mener at kunne slutte, at Theofrast selv har besøgt Ægypten og Kyrene. Når man tænker på hans arbejdsprogram i øvrigt, forekommer større rejser ikke videre sandsynlige, men selvom Theofrast skulle være rejst over Middelhavet til den gamle græske koloni Kyrene og/eller til det nyerobrede ptolemæiske kongedømme Ægypten, kan det efter min bedste overbevisning ikke læses ud af teksten. Tværtimod viser de mange citater, at teksten består af flere lag, som endnu er synlige.

Paradigmets begrænsning: hanligt og hunligt, vildt og kultiveret

Som flere af de ovenstående eksempler har vist, er der ofte forskel på synsvinklen hos meddeleren og forskeren – eller i det mindste en snært af usikkerhed hos sidstnævnte. I de følgende eksempler træder det peripatetiske paradigme frem og afslører både sin styrke og svaghed. Først den spegede sag om planternes formering.[44]

Som nævnt under beskrivelsen af Aristoteles' idealplante opfattede peripatetikerne planter som væsner, der formerer sig ukønnet, eller måske snarere som en slags hermafroditter, der hver især producerer deres eget afkom. Aristoteles forklarer det således:

Hos alle dyr, der kan bevæge sig, er det hunlige og hanlige element adskilt, og der findes både et hanligt og et hunligt individ; de er af samme slags (*eidos*) – begge er de jo 'menneske' eller 'hest' – men hos planterne er disse evner blandet sammen, og det hunlige er ikke skilt fra det hanlige. Derfor formerer de sig også af sig selv, og de producerer ikke sæd, men et foster, de såkaldte frø. Derfor siger Empedokles så udmærket:

> *Og først lægger de høje træer således olivenæg*

for et æg er et foster, og fra noget af det opstår dyret, mens resten er næring til skuddet og den første rod. På en måde sker der det samme hos de dyr, der har det hunlige og det hanlige adskilt. For når de skal formere sig, bliver de uadskillelige, som tilfældet er ved planter. Deres natur ønsker, at de skal blive ét. [GA 730b33-731a14]

Denne opfattelse deles helt og aldeles af Theofrast og er begrundet i, at de stedfaste planter ikke kan bevæge sig hen til hinanden, som dyrene kan.

> Alle frø har en form for næring i sig, som skabes sammen med et 'begyndelsespunkt' (*arche*), ligesom i æg. Derfor har Empedokles fuldstændig ret, når han siger, at
>
> > *de høje træer lægger æg,*
>
> for frøenes natur svarer til ægs. [CP 1.7.1]

Det er derfor et stort problem for ham, at der hos visse planter tydeligvis foregår noget, som kunne ligne en kønnet forplantning. Stjerneeksemplerne er bestøvningen hos figen (den såkaldte kaprifikation, der foregår ved hjælp af en galhveps) og daddelpalmens befrugtning.

Empedokles-citatet og Aristoteles' glæde ved at bruge det viser i øvrigt en påfaldende afslappet holdning til det gamle paradigme. Aristoteles' verdensbillede levner ingen plads til Empedokles' fantastiske forestillinger om et univers i cyklisk udvikling, hvor dyr og planter for tiden udvikler sig langsomt, men sikkert mod den fuldstændige opløsning i de fire elementer, og hvor der på den anden side af opløsningen igen vil ske en samling af elementerne til fabeldyr, hvoraf kun de bedst egnede vil overleve.[45] For Aristoteles er dette rent vås, men alligevel betænker han sig ikke på at bruge sin forgængers velturnerede udtryk om de æglæggende oliventræer.

Eksempel 5: daddelpalmer og andre hanlige og hunlige planter

At frugten ikke bliver siddende på den hunlige daddelpalme, med mindre man ryster den hanlige palmes blomst over den sammen med støvet på den – og dette er der også folk, der siger. Det er noget helt særligt og i modstrid med de andre <planters formering>, nærmest svarende til kaprifikationen hos figen. Ud fra dette kunne man måske slutte, at et hunligt træ ikke kan bære rigtig frugt af sig selv, men dette burde i så fald være tilfældet ikke ved én eller to planter, men ved alle eller de fleste, for det er sådan, vi bestemmer kønnets natur. Tilfældet med daddelpalmen er meget ejendommeligt ... [CP 3.18.1]

Kommentar

Daddelpalmen kunne på Theofrasts tid kun sætte spiselige frugter på Kypern, og alt tyder på, at oplysningerne kommer fra Babylon. Teksten indeholder flere vigtige ræsonnementer:

71

(1) den såkaldte hunplante beholder frugterne, når den så-
kaldte hanplantes støv rystes over den

(2) fænomenet kan sammenlignes med kaprifikationen, men
har i øvrigt ingen andre paralleller

(3) man kunne som peripatetiker heraf slutte, at der finder en
befrugtning sted, som er sammenlignelig med dyrenes, men

(4) denne hypotese forudsætter et langt større empirisk ma-
teriale og strider i øvrigt mod hele den peripatetiske teori om
forskellen på dyr og planter

(5) Theofrast bruger direkte tale, selvom der må være tale om
oplysninger fra en peripatetisk rapport eller fra et litterært
forlæg

(6) Theofrast bruger selv termen hunlig og hanlig om plan-
ter, selvom han i teorien ikke accepterer den

Lad os se på det sidste punkt først. Theofrast har som nævnt
kun meget få muligheder for at distancere sig fra det græske
dagligsprog, dels fordi hans meddelere og rapportører bruger
det, dels fordi han ikke har noget alternativ til græsk og ikke
kan gribe til et ældre klassisk sprog, som vi gør, når det kni-
ber med præcisionen i vort eget. I mange rapporter har Theo-
frast læst om de hanlige og hunlige planter:

> Folk deler de vilde planter op i hanlige og hunlige, mens
> de kultiverede bliver opdelt efter mange særlige træk. [HP
> 1.14.5]

Faktisk optræder inddelingen hanlig/hunlig ved hele 27 planter i HP og CP, men ingen steder synes Theofrast at acceptere den som andet end 'folks inddeling', altså en primitiv opfattelse, som han principielt må tage afstand fra. En nøjere gennemgang af inddelingen viser da også, at den ikke har noget med de primære kønskarakterer at gøre, men derimod drejer sig om frugtbarhed/ufrugtbarhed (huntræer har frugt, hantræer ikke), vedkvalitet (hunlige træer har glattere og hvidere ved end hanlige), frodighed (hunlige roer er mere svulmende end hanlige) osv. osv. De fleste af disse 'forskelle' drejer sig altså om, hvad man kunne kalde sekundære kønskarakterer og svarer ganske godt til dansk elektrikerjargons 'han- og hunstik'. Kun i tilfældet daddelpalmen havde daddeldyrkerne og meddelerne ret (set med vore øjne), men både de og peripatetikerne manglede forudsætningerne for at forstå, at de var på rette vej. Theofrasts ubehag ved fænomenet er fuldt forståeligt, og man må respektere hans metodesikkerhed, som redder ham fra at drage forhastede konklusioner.

Det sidste citat nævner en anden *diafora*, som er af lige så principiel karakter: Bør man studere vilde eller dyrkede former af en plante? Set fra et moderne synspunkt er der jo ingen tvivl om, at den vilde form er den botanisk interessante. Dyrkede former er hortonomernes gebet. Det er derfor overraskende at læse følgende overvejelse:

Eksempel 6: bør man studere vilde eller dyrkede former?

Man kan måske nævne endnu et fælles problem af overordnet betydning: Skal man hellere studere naturen ud fra de planter, der vokser af sig selv, end ud fra dem, der er under kultur? Det er omtrent det samme som (eller snarere en del af) problemet om, hvorvidt vi skal studere vilde eller dyrkede former. Naturen har nemlig udgangspunkter for vækst i sig selv, og vi taler dels om noget naturligt (det, der gror af sig selv, hører hertil) og dels om noget udefrakommende (bl.a. menneskelig indgriben), idet det har et andet udgangspunkt. I de tilfælde, hvor eksempelvis dyr formes eller tvinges til en bestemt størrelse eller facon, kan man heller ikke regne det for naturligt.

Naturen stiler derimod altid mod det bedste – og der hersker næsten fuld enighed på dette punkt. Men dyrkningsmetoderne gør det samme, for der sker også en fuldkommengørelse af plantens natur, når den ved menneskelige indgreb får det, den måtte mangle, fx en særlig slags næring i passende mængde og fjernelse af ting, der hindrer eller hæmmer væksten. Dette giver også voksesteder, som passer til de respektive planter, og jeg mener så sandelig, at man også skal iagttage deres natur dér. Men egnede voksesteder yder kun hjælp i ydre forhold, såsom vejr og vind, jordbund og næring, hvorimod forædlingsarbejdet også foretager flytninger og forandringer i selve planten. Lige såvel som planten behøver den ydre hjælp for at blive bedre, vil den derfor acceptere indgrebene, som var de dens egne. Det er meget forståeligt, at den skulle stræbe efter dem, især da den er afhængig af dem og har sine begyndelsesgrunde i dem.

Der sker jo også det mærkelige og næsten naturstridige blandt træer, der gror af sig selv, at de frøformerede bliver ringere og ligefrem træder ud af deres egen slags. Dette er unaturligt; det naturlige er, at noget forplanter sig til noget, der er ens med det. Dette er omtrent problemet og dets indhold. [CP 1.16.10-12]

Kommentar

I dette afsnit tager Theofrast fat på en række helt fundamentale spørgsmål, som igen afslører det peripatetiske paradigme, i særdeleshed dets teleologiske fundament.

(1) planterne kan så at sige indgå en kontrakt med mennesket, der på sin side hjælper planten til at blive fuldkommen, mens planten kvitterer med et bedre udbytte. Det er naturligvis ikke den enkelte plante, der træffer disse valg (sådan som mennesket gør), men dens natur, som stræber mod det fuldkomne og bruger mennesket i en slags symbiose

(2) hvad vi ville kalde naturlige forandringer eller mutationer, opfattes af peripatetikerne som naturstridige eller i bedste fald uforklarede afvigelser fra normen, som er den uforanderlige artskonstans. Der er afgrundsdybe skel mellem Mendels love, Darwins udviklingsteori og tanker af denne art, og de viser igen, hvor forsigtig man skal være med at tro, at man forstår den peripatetiske forsker og hans grundlag

(3) samtidig er vi helt på bølgelængde med Theofrast, når han gør opmærksom på biotopens betydning for en plantes vækst

Spørgsmålet om botanikkens forskningsområde var tilsyneladende allerede blevet berørt af førsokratikeren Hippon (se side 50), som Theofrast citerer for følgende:

> Om planter er 'vilde' eller 'dyrkede' synes at afhænge af deres pasning. Forskellen på 'vild' og 'dyrket' ligger, efter hvad Hippon siger, i, om planten får pleje eller ej. [HP 1.3.5]

Som eksempel 6 viser, deles Hippons for os indlysende syns-
punkt ikke af Theofrast. Det skyldes årsager, som ikke bare
lader sig feje af. Der er fx planter, der ikke lader sig kultivere
('tæmme' kalder Theofrast det), og peripatetikernes svar på
det omfattende spørgsmål venter på en egentlig undersø-
gelse.

4 · Indsamlingen

Aristoteles' indsamling af oplysninger om statsforfatninger-
ne giver indtryk af et meget stort organisatorisk forarbejde
og af en ikke uvæsentlig økonomisk indsats. Det samme må
uden tvivl gælde Theofrasts botaniske undersøgelser. Vore
kilder siger intet eksplicit om de nærmere omstændigheder,
og vil vi trænge længere ind i problemet, er vi derfor henvist
til at slutte ud fra parallelle forhold i andre tilsvarende pro-
jekter og i øvrigt prøve at udlede så meget som muligt af tek-
sterne selv. Jeg vil begynde med en henvisning til et 2.000 år
yngre, men på mange måder ganske tilsvarende indsam-
lingsarbejde.

Ole Rømer i London

Den danske astronom og fysiker Ole Rømer opholdt sig fra
1672-1681 ved Solkongens Videnskabernes Akademi i Paris.
Akademiet bestod af mange videnskabsmænd fra forskellige
fagområder, og man forskede i alt fra lysets natur til løsnin-
gen af praktiske ingeniøropgaver. Under sit ophold blev Rø-
mer sendt på en studierejse til England bl.a. for at undersøge,
om et sekundpendul har samme længde i Paris og London.
Den 13. april 1679, umiddelbart før sin afrejse, modtog Ole
Rømer et brev på fransk fra sin kollega i Akademiet, lægen og
botanikeren Denis Dodart. Brevet er en huskeseddel til Rø-
mer om en række ærinder, han skal udføre under sit ophold i
England. Der står blandt andet:

... De ville gøre mig en stor glæde, min herre, hvis De ville forhøre Dem i England om den måde, man opdrætter og dresserer væddeløbsheste på; om den måde, som de mennesker, der går lange ture, ernærer sig på, om de folk, som udmærker sig i denne udfoldelse, har arbejdet på det fra barnsben af, om man undersøger deres legemsbygning, deres bryst osv.; om det er rigtigt, at der er kvinder, som træner på denne måde; hvad er den længste strækning, hestene kan løbe uden at tabe vejret; hvad er den længste strækning, menneskene kan løbe uden at stoppe op; hvad er den almindeligste ernæring for febersyge; hvordan man tilbereder den; om man undertiden iblander græskar eller agurk eller havregryn. Få at vide nogenlunde, hvad man spiser af brød og kød i et selskab på 20-30 personer; få at vide nogenlunde, hvad man bruger af kød til de syge på et hospital i løbet af en måned, og hvad man bruger af havre; i hvilket omfang man igen vænner feberrekonvalescenter til at spise kød; et overblik over, hvordan man ernærer sig i Skotland og især med hensyn til brugen af brød, suppe, kød; det samme hos irlænderne. De er sikkert udmærket klar over, min herre, hvad man skal skrive i denne redegørelse, for at jeg kan få det klarest mulige overblik. Hr. Loque (dvs. John Locke!), som jeg hilser med megen agtelse og taknemmelighed, vil kunne give Dem svar på adskillige af disse spørgsmål og give Dem muligheder for at finde folk, som er i stand til at oplyse Dem om resten.

Jeg ønsker Dem begge en lykkelig henfart og en endnu lykkeligere tilbagefart. Jeg er, min herre, Deres meget ydmyge og meget lydige tjener Dodart.[46]

Selvom der på alle måder er langt fra Lykeion i 300-tallet f.Kr. til Académie Royale des Sciences i 1600-tallet, er der

alligevel mange lighedstræk mellem de to institutioners be-
hov for pålidelige data af meget forskellig karakter indsamlet
i hele verden.

En hypotese

Det følgende kan aldrig blive andet end en hypotese, men –
tror jeg – en ganske sandsynlig hypotese: Når Aristoteles og
Theofrast sendte medarbejdere ud for at undersøge noget,
skulle de ligesom Ole Rømer løse flere opgaver på én gang.
Ud over den indlysende økonomi i en sådan løsning forklarer
det måske også, hvorfor de stumper af rapporter, som vi kan
finde på grund af deres særlige sproglige form, rummer så
mange oplysninger, der hverken efter Theofrasts eller vore
begreber har noget direkte med planter og botanik at gøre. Et
par eksempler kan illustrere hypotesen:
De kun meget lidt bearbejdede rapporter fra rørsumpen
ved Orchomenos [HP 4.10.7-11.9, side 130ff] og fra egnene
ved den arabiske havbugt, hvor der produceres røgelse [HP
9.4.1-9, side 145ff], indeholder materiale, der kan bruges i
helt andre *historiai*; det samme gælder til en vis grad den
omhyggeligt markerede beretning fra Kirkes ø (side 34).
Rapporterne skal læses i sammenhæng, men særligt to ting
springer i øjnene: Beskrivelsen af vegetationen i rørsumpen
indeholder mange og meget detaljerede oplysninger om pro-
duktion og anvendelse af rørblade i blæseinstrumenter [HP
4.11.6-7]. De kan lige så lidt som de foregående musik-
historiske noter [HP 4.11.4-5] kaldes egentlig botaniske. Det
samme gælder den næsten herodoteiske beretning om røgel-
seshandlerne i Soltemplet, som vi finder i en af røgelsesrap-
porterne [HP 9.4.4-6]. Men også de kortere beretninger om
de mobile træer og de svedende gudestatuer er eksempler på
en informationsrigdom, som strengt taget ikke har noget at

gøre med hovedopgaven. Har man først fået øje på fænome-
net, dukker eksemplerne op overalt, fx også i en omfattende
liste over tændstikkvaliteter i HP 5.9.6-8. Man kan indvende,
at der er en lang tradition for en bredere omtale af de pågæl-
dende planters anvendelsesområde også i senere botanisk lit-
teratur; fx har en dansk klassiker som Eugenius Warmings
Haandbog i den systematiske Botanik mange af den slags
oplysninger. Egentlig ligger der ingen modsigelse mellem
denne kendsgerning og de omfangsrige oplysninger, som
Theofrast videregiver. En systematisk lærebog i botanik kan
kun renses for denne type oplysninger ved en meget bevidst
gennemskrivning, og Warmings bog viser desuden, at man
langt op i tiden opfattede den slags oplysninger som vigtige i
en botanik. Bagved ligger under alle omstændigheder rap-
porter af et langt mere broget indhold.

Er rapporterne topografisk ordnet?

Da der endnu ikke findes ordentlige moderne indices til HP
og CP, må de følgende antagelser basere sig på Wimmers in-
dex fra 1854.[47] En sammenligning med et detaljeret atlas[48]
viser, at rapporterne grupperer sig i nogle græske hoved-
områder, særligt Arkadien, Thessalien, Troas og Makedonien;
hertil kommer områder på Sicilien, i Nordafrika og i Baby-
lon. De græske områder kan dog også optræde med andre
navne (Idabjerget, Antandros, Orchomenos, Aigiai osv.), og
det er ikke muligt med nogen form for sikkerhed at fastslå,
hvorvidt der er tale om én eller flere indsamlinger. Det er på
den anden side usandsynligt, at Lykeion har kunnet plan-
lægge sin forskning så præcist, at man har kunnet nøjes med
at sende en medarbejder af sted til en bestemt lokalitet kun
én gang og med en så lang række spørgsmål inden for mange
fagområder, at Ole Rømers liste ville tage sig ud som en

huskeseddel. Hvis vi skal tro Diogenes' oplysning om, at Theofrast havde 2.000 studenter i sin tid som *scholarches*, må der også have været en del rapportører at tage af til disse opgaver.

Som rapporterne ser ud nu (og man må ikke glemme, at rapporterne kun eksisterer som en moderne rekonstruktion), kan man ikke afgøre, om de har været topografisk opdelt, men tanken er nærliggende. Med 'topografisk opdelt' mener jeg, at rapporterne er indsamlet landskab for landskab over en længere årrække og måske i flere omgange, og at de har indeholdt oplysninger til brug for flere *historiai* i forskellige fagområder.

Hvis hypotesen om rapporterne er sand, må det i øvrigt betyde, at Theofrast har gennemgået dem igen og igen for at plukke de for hans øjeblikkelige forskningsområde relevante oplysninger. Senere kunne han vende tilbage for at hente nye oplysninger, men hver gang måtte han overveje, om han skulle anføre, hvem der sagde hvad, eller om det var nok at nævne en afvigende mening. I rapporten har der næppe stået 'arkaderne' ved hver eneste udsagn.

Satyros

Rapportørerne er som sagt anonyme, på nær måske Satyros, der nævnes i forbindelse med de mange indberetninger fra Arkadien. I omtalen af forskellige slags 'cedertræer' (*kedros, arkeuthos, oxykedros*) kommenterer Theofrast oplysningerne om den ene slags med ordene:

Efter hvad arkaderne siger, har træet tre slags frugter på én gang: Sidste års endnu ikke modne frugt, forrige års, som nu er moden og spiselig, og så sætter den sin nye frugt. Satyros fortalte, at skovhuggerne fra bjergene (*oreotypoi*) bragte ham begge slags uden blomster. [HP 3.12.4]

Kommentar

Teksten giver anledning til følgende slutninger:

(1) Satyros er ikke nærmere beskrevet og kunne for så vidt godt være en forfatter. Det er dog langt mere naturligt (ikke mindst på grund af udtrykket 'Satyros *fortalte*, ἔφη') at opfatte ham som en peripatetiker, der har afleveret en rapport til Theofrast om sine indsamlede oplysninger fra Arkadien. Denne iagttagelse er på ingen måde ny og diskuteres bl.a. af Hort i forordet til hans HP-udgave

(2) Satyros angiver, hvem han har oplysningen fra, nemlig skovhuggerne i de arkadiske bjerge. En undersøgelse af meddelernes professioner viser (for så vidt som professionen overhovedet er nævnt) en overvægt af skovarbejdere, kulsviere og andre med direkte tilknytning til de arkadiske skove. Rapporterne (eller rapporten) fra Arkadien har altså først og fremmest haft disse meddelere at trække på, men det har på ingen måde hindret, at oplysninger om mange andre ting er kommet med i rapporten. Snarere tværtimod. De brave arkadere færdedes jo i skovene for at fælde træer og producere tømmer og trækul, ikke for at botanisere, og disse fagfolks oplysninger kunne vise sig nyttige for mange andre peripatetiske undersøgelser

(3) Satyros har modtaget (og derfor formentlig også bedt om) plantemateriale fra sine meddelere. Udtrykket 'uden blomster', *anantheis*, kunne måske antyde, hvornår Satyros

besøgte Arkadien (Amigues *ad loc.*), men rejser i virkelighe-
den flere spørgsmål, end det løser. Om dette materiale er ble-
vet præserveret og bragt med hjem til Lykeion, kan vi heller
ikke vide

Side 152ff findes en samlet oversigt over 26 referencer til
botaniske forhold, som med sikkerhed kan relateres til
Arkadien. Det er ikke til at vide, om alle oplysninger stam-
mer fra Satyros, eller om der er tale om flere rapporter. Det
fremgår imidlertid klart, at indsamlingen af oplysninger er
foregået over længere tid, siden både blomster og frugter bli-
ver beskrevet. I modsætning til makedonerkilden anfører
rapportøren kun en sjælden gang meddelerens profession.
Årsagen må under alle omstændigheder være, at oplysning-
ens pålidelighed herved præciseres. Ved andre lejligheder
omtales en kilde blot som arkadisk. Måske er der tale om for-
skellige rapporter, men det er nærliggende at forestille sig, at
de samme personer kan skjule sig under forskellige navne, alt
efter hvad Theofrast har skønnet vigtigt.

Brugte rapportørerne et skema?

HP 3.8-17 falder i to klart afgrænsede dele: Kapitel 8-16 om-
handler træer, som vokser på mange lokaliteter, mens kapitel
17 undersøger træer med kun ét voksested; der er i alt 40
beskrivelser af træer. Meddelerne er arkaderne, idæerne, ma-
kedonerne og olympierne, foruden en gruppe anonyme. Den
første del af beskrivelsen, som omfatter egetræer (HP 3.8.1-
9.1), er aftrykt side 124ff.

En nærmere undersøgelse af de 40 beskrivelser viser en
påfaldende ensartethed i fremgangsmåden, som (måske ikke
overraskende) følger principperne fra metodekapitlet. Det
ses lettest af følgende opstilling, hvor kolonne 1 angiver *dia-*

fora, kolonne 2 antallet af 'besvarelser', og kolonne 3 den tilsvarende paragraf i metodeovervejelserne i HP 1.

Træets hele ydre	38	HP 1.5.1
Bladets		HP 1.10.1-8
størrelse	20	
form	31	
farve	8	
placering	3	
Blomsten i almindelighed	5	HP 1.13.1-3
størrelse	5	
form	14	
farve	7	
duft	1	
placering	6	
blomstringstid	3	
Frugten i almindelighed	15	HP 1.14.1-2 (1.12.1-4)
størrelse	22	
form	17	
farve	16	
smag/lugt	13	
struktur	9	
Barken		HP 1.5.2
form	19	
farve	7	
tykkelse	11	
Roden		HP 1.6.3-7.3
form	16	
farve	2	

Veddet		HP 1.5.3-6.2
styrke	24	
farve	21	
struktur	22	
andet	8	

Anvendelse	13	

Voksested	24	HP (1.9.1-2)

En så høj besvarelsesprocent, som opstillingen viser, må for-
udsætte et sæt nogenlunde enslydende og præcise spørgs-
mål. Om de har været i skemaform eller ej, kan man næppe
afgøre, men en vis systematik synes at være fremherskende,
i hvert fald på observationsniveau.

Man skal være forsigtig med et så lille talmateriale, men
det er dog påfaldende, hvor uens besvarelsesprocenterne er.
Særlig lav er den i forbindelse med beskrivelsen af blomster,
jf. den ovenfor omtalte manglende forståelse af forholdet
mellem blomst og frugt.

Har Theofrast en systematik?

Tidligere undersøgelser, særligt Reinhold Strömbergs grund-
læggende studier i *Theofrasts botanische Begriffsbildung* har
interesseret sig for at genfinde det aristoteliske logiske sy-
stem med opdeling i slægt og art i Theofrasts botaniske vær-
ker.[49] Det er som sagt indiskutabelt, at Theofrast benytter sig
af begrebet *diafora* til at opdele fx gruppen egetræer i under-
grupper (se side 124ff), men Strömbergs detailundersøgelser
har forledt mange botanikhistorikere til at generalisere en-
keltfænomener i ét afsnit i HP til en hel videnskabelig metode
hos Theofrast. Særlig populær er Strömbergs diagrammati-

ske opstilling af arterne af vedbend (*kittos*, planche XIV) ble-
vet, fordi den overfladisk ligner et linnæisk system.[50] De fær-
reste har imidlertid gjort sig klart, at afsnittet er atypisk for
værket. Den overordnede disposition viser nemlig en kun
delvis gennemført systematik, eller rettere forsøg med flere
forskellige, tilsyneladende ligeværdige former for systema-
tik.

Opbygningnen af HP 3 er et godt eksempel på dette; tal-
lene henviser til den moderne kapitelinddeling, og overskrif-
terne er kun delvis dækkende for det ofte brogede indhold,
men giver alligevel et klart billede af forskellige inddelings-
kriterier.

1   forskelle på formering blandt vilde træer
2   forskelle på vilde og kultiverede træer
3   forskelle på træer i bjerge
4   forskelle på løvspring og frugtsætning hos vilde og
     kultiverede træer
5   forskelle på løvspring
6   forskelle på træers væksthastighed og røddernes om-
     fang
7a   forskelle på træers reaktion på beskæring
7b   forskellige 'andre' dele end blade og blomster (herun-
     der galler)
8   forskellen på hanlig/hunlig; eksempel: egetræer
9   forskelle på fyrretræer
10-15 forskelle på en række andre træer
16-17 forskelle på egetræer (jf. 8) og andre træer, som kun
     findes på enkelte lokaliteter
18   forskelle på forskellige buske og andre træagtige plan-
     ter, herunder vedbend

Theofrast begynder afsnittet HP 3.8-18 med træer og derudover med dem, der har flest forskellige arter eller slags, nemlig egene, og han fortsætter med fyr og gran, popler og andre store træer. Herudover er der ingen gennemskuelig rækkefølge og intet forsøg på at skabe en generel systematik. Måske er rækkefølgen overtaget direkte fra rapporterne; de sidste fire beskrivelser (HP 3.17.4-6) minder mest af alt om en restgruppe fra den idæiske kilde om træer, der kun vokser dér. Ved overgangen til en tilsvarende opregning af buske (HP 3.18.1) antyder Theofrast endvidere, at han ikke fuldt har udnyttet andre rapporter om træer med kun ét voksested: 'De fleste andre bjerge har også særlige vækster, det gælder både træer, buske og andre træagtige planter.'

Som før nævnt bruger Theofrast hverdagssprogets plantenavne, og har derfor sommetider problemer med at identificere planter, der har forskellige navne rundt om i de græske landskaber. I HP 1.14.4 gør han opmærksom på et andet problem: 'De fleste vilde planter har intet navn, og få mennesker kender til dem. De fleste dyrkede er derimod navngivne, og kendskabet til dem er udbredt. Jeg tænker fx på vin, figen, granatæble, æble, pære, laurbær, myrte og andre, for den almindelige anvendelse betyder, at vi ser på forskellen.'

Theofrast nævner her sine typeplanter, dvs. planter hvis hele form eller bladform gør dem egnede til at sammenligne en ukendt plante med (fx 'bladet på x ligner bladet på et pæretræ'). Bretzl (1903, s. 8-22) har foretaget en meget interessant undersøgelse af bladformerne som identifikationsobjekt ved Theofrasts ca. 50 typeplanter. Planche I-XVI bagest i bogen viser bl.a. eksempler på disse typeplanter.

Det er dog helt forkert af fraskrive Theofrast systematisk tænkning. Han begynder så at sige i hver sin ende af det, som både han og resten af Peripatos troede på, nemlig en verden, der kan beskrives ved hjælp af begreberne *genos* og *eidos*. I

bunden af systemet beskriver han grupper med flere under-
inddelinger fx 'egetræer', 'træer som gror i bjerge' og 'ved-
bend', i toppen taler han om tre- eller firedelinger af plante-
verdenen (træer, buske, halvbuske, urter HP 1.3.1), men for-
søger ikke en sammenkobling af top og bund, som derfor al-
drig bringes til at nå hinanden.

Theofrasts hovedproblem er, at det er meget svært at se,
hvor man skal begynde på en systematik, som endnu ikke
eksisterer. Man får en klar fornemmelse af kompleksiteten
ved at læse overvejelserne i HP 1.4.2-3, som går i en helt an-
den retning end en artsdifferentiering: 'Sammen med alle de
nævnte forskelle må man altid medregne dem, der vedrører
voksestedet ... Disse synes at skabe afgrænsinger mellem
grupper, fx vandplanter og landplanter – ligesom i zoologi-
en'. Herefter opstilles dette skema:

· planter som kun kan leve i vand
  – i sumpe
  – i søer
  – i floder
  – i havet
· planter som lever i nær forbindelse med (fersk)vand
· planter som ikke kan leve nær vand, men søger tørre vokse-
  steder
· planter som foretrækker kyststrækninger

Som sædvanlig modificerer Theofrast sit skema og nævner
eksempler på planter, som kan vokse på vidt forskellige bio-
toper. Han kalder disse planter for amfibier (et ord som han
andetsteds[51] tilskriver Demokrit) og fortsætter:

> ... men at undersøge den slags fænomener <som amfibi-
> erne> og i det hele taget at arbejde på denne måde er ikke

den rigtige forskningsmetode (οἰκείως ἐστὶ σκοπεῖν). Naturen har nemlig heller ikke på disse områder en fast grænse. Forskellene på planter og i øvrigt studiet af planter bør man altså opfatte på denne måde.

Herefter vil vi forsøge at omtale forskellene i de enkelte dele, idet vi først giver en omtale af hovedgrupperne og derefter for hver dels vedkommende for til sidst at se med friske øjne på det i et bredere perspektiv. [HP 1.4.3-5.1]

Disse bemærkninger bekræfter billedet af forskeren, der står med et næsten uoverskueligt materiale, som han er ved at bringe orden i ud fra principper, som nok er standard i Peripatos, men som ikke uden videre lader sig forene med det genstridige stof. – Den moderne læser føler sig ofte i samme situation under sine forsøg på at bringe hoved og hale i Theofrasts tekst.

5 · Bearbejdningen af materialet

Theofrast forklarer aldrig, hvordan han har bearbejdet sit stof i HP og CP. Vi er derfor igen henvist til at slutte ud fra bøgerne selv og ud fra mere eller mindre parallelle eksempler. De følgende to kan give et indtryk af mulighederne.

Oikonomika I

I det aristoteliske corpus findes et lille værk, kaldet *Oikonomika I*, som ikke er skrevet af Aristoteles, men utvivlsomt af en anden peripatetiker.[52] Der er tale om en form for kompendium af to værker, vi har bevaret, nemlig Xenofons *Oikonomikos* og 1. bog af Aristoteles' *Politik*. De to bøger er skrevet sammen, og Xenofons dialog er blevet 'aristoteliseret' og anonymiseret. Meningen med kompendiet må være, at læseren på få sider kan få et overblik over, hvad man i Lykeion mener om husholdning, forhold mellem mand og kone, herre og slave osv. I en papyrus fundet i Herculaneum kritiserer filosoffen Filodem (1. årh. f. Kr.) i øvrigt teksten sønder og sammen og tillægger den ved samme lejlighed Theofrast uden nærmere begrundelse. Hvem der end er forfatteren, har vedkommende ikke haft de store litterære ambitioner, men har med dette stykke skrivebordsarbejde kun villet give en travl kollega en synopse, som helt i modstrid med moderne konventioner ikke indeholder referencer til forlæggene og heller ikke nævner forfatterne til dem.

Om vejrvarsler

Et tilsvarende anonymt værk i det aristoteliske corpus er den lille bog *Om vejrvarsler*.[53] Bogen indledes med disse bemærkninger:

> Vi har beskrevet tegnene på regn, blæst, storm og godt vejr, så vidt som det var tilgængeligt, idet vi dels selv har observeret dem, dels fået dem fra andre, pålidelige mennesker. [SIGN. 1]

Den sidste sætning er ret vag og kan både hentyde til kolleger i Lykeion, til rapportører og til andre videnskabsmænd. Forfatteren fortsætter med at fremhæve vigtigheden af stadige observationer på forskellige lokaliteter:

> Derfor må man lytte til en person, som er bosat dér. Det er nemlig altid muligt at finde sådan en observatør, og de mest pålidelige tegn kommer fra dem. [SIGN. 3]

Herefter følger en liste over berømte astronomer og deres observatorier sluttende med Meton, som Aristofanes gør nar ad i *Fuglene;* han levede mindst 100 år, førend denne bog blev skrevet, og er verdensberømt for at have fundet Månens 19-års cyklus. Hans værker er ikke bevaret, men den anonyme forfatter til *Om vejrvarsler* har tydeligvis haft en eller anden form for skriftlig fremstilling til sin rådighed.

De næste 57 paragraffer af bogen registrerer og systematiserer hundredevis af observationer fra hele det græske område og bringer mange oplysninger om mere eller mindre pålidelige tegn på vejr og vind hentet fra lokale kilder. *Om vejrvarsler* er derved en sammenskrivning af en helt anden art end *Oikonomika* med sine forlæg af tre slags: skriftligt materiale, mundtlige indberetninger og egne iagttagelser, ganske svarende til det man ser i HP og CP og i andre værker af Theofrast, særligt *Om sten* og *Om ild*. Cronin[54] diskuterer i forbindelse med sin analyse af *Om vejrvarsler* forfatterens identitet og mener, at der må være tale om en Theofrastelev, 'one of the lesser lights', hvis værk fra omkring år 300 f.Kr. senere er blevet optaget i *Corpus Aristotelicum*. En del andre anonyme værker i dette corpus har også interesse på grund af deres oplysninger om kilder. Det gælder ikke mindst de såkaldte *Problemata*, der trods deres meget svingende videnskabelige niveau giver er klart indtryk af peripatetikernes metoder, både hvad angår problemstillinger og svar. 20.-22. bog indeholder alene 86 'problemer' af typen: 'Hvorfor er det kun løg, der river i øjnene ...?' Der gives ikke noget endegyldigt svar, men læseren konfronteres med en række spørgsmål af typen 'Er det fordi ...?' Spørgsmålene dynges op uden nogen egentlig systematik, og det virker, som om de er føjet til i den rækkefølge, de er indkommet. Det er nærliggende at forestille sig, at svarene er excerperet fra materialesamlinger svarende til de ovenfor omtalte rapporter.

Disse bøger er ikke ordentligt undersøgt mht. deres opbygning, og de vil sammen med andre dele af det aristoteliske corpus formentlig kunne give yderligere oplysninger om praksis i Lykeion.

Andre mulige paralleller

Der findes flere undersøgelser af, hvordan de romerske polyhistorer Varro og Plinius indsamlede og bearbejdede materiale til deres encyklopædiske værker.[55] Det pågældende værk excerperes under læsningen, evt. oplæsningen, som en veluddannet slave-sekretær står for; excerpterne nedskrives eller dikteres (igen til sekretærer) på små skrivetavler.

Excerpterne renskrives på bogruller efter emner, og rullen påføres en indholdsfortegnelse. Nogle excerptsamlinger er ikke systematiseret, fx Aulus Gellius' *Noctes Atticae*, hvis indledning også er en værdifuld kilde til disse spørgsmål. Materialesamlingerne kan herefter levere stof til den bog, forfatteren arbejder med. Plinius' nevø, 'den yngre Plinius', har med en vis benovelse over onkelens næsten maniske flid beskrevet fremgangsmåden udførligt i brev 3.5. Heraf fremgår også, at onklen efterlod sig 160 ruller, beskrevne på begge sider, med notater, og at han mange år forinden havde fået tilbudt 400.000 sesterts for dem. Dette må (ud over den høje pris) antyde, at de værdifulde ruller har været disponeret, så andre kunne have gavn af excerptsamlingen, og de må derfor have været indrettet med en eller anden form for systematik. I øvrigt brugte den ældre Plinius flittigt Theofrasts botaniske værker i sit eget forsøg på at give en encyklopædisk fremstilling i 37 bøger af hele verden. Projektet ligner på nogle punkter peripatetikernes, men der er fundamentale forskelle både i synsvinkel og i arbejdsbetingelser. Plinius havde den hellenistiske videnskabelige litteratur at trække på, og de fleste af hans oplysninger er hentet i andres værker, dvs. i de biblioteker, som peripatetikerne 350 år tidligere var ved at opbygge. Til gengæld var Plinius ikke en del af et arbejdsfællesskab og kunne derfor kun trække på sine formentlig meget dygtige, tosprogede sekretærer. Parallellerne mellem Lykeion og de romerske polyhistorer er derfor ikke så indlysende, som man umiddelbart kunne tro.

En *Historia* bliver til

Som før nævnt stammer kun en meget lille del af informationerne i HP og CP fra bøger. Hvis det er rigtigt, at Theofrast og de andre peripatetikere modtog skriftlige rapporter med et blandet indhold, som kunne bruges af flere forskere, må disse rapporter have været frit tilgængelige i Lykeion. De må også have været opbevaret i en vis årrække, selvom papyrus relativt hurtigt slides op ved hyppig brug.

Hvordan man helt konkret skal forestille sig disse arbejdsredskaber, som dannede udgangspunkt for de forskellige *Historiai*, er svært at sige. I den overleverede form er HP og CP opdelt i bøger, dvs. bogruller af passende længde for en papyrusrulle, men det er langt fra givet, at de har været det i hele arbejdsprocessen. En bogrulle består af sammenklæbede ark, og man må regne med, at en *Historia* i hvert fald i de indledende faser har været på enkeltark eller mindre ruller, som først på et senere tidspunkt er blevet limet sammen, eller måske snarere kopieret over på en ny bogrulle, alt eftersom der blev behov for oplysningerne i den systematiske fremstilling. Eksemplerne fra de mobile træer i Antandros og Filippoi, paralleleksemplerne fra *Corpus Aristotelicum* og Eileithyias udflåd peger i samme retning.

Der er intet, som tyder på, at peripatetikerne skulle have udviklet et alfabetisk eller emnemæssigt inddelt referencesystem i deres værker, eller at de skulle have benyttet sig af de for senere videnskab så uundværlige kartotekskort. Forskeren må have haft en god hukommelse, med mindre andre kunne sættes til at gå rapporterne efter for en eller anden særlig oplysning.

Denne arbejdsmetode gør, at en *Historia* altid må være – og virke – ujævnt bearbejdet: Nogle dele er stort set færdige med endelige formuleringer, mens andre dele mest har notens form. Der kan også pludselig komme en ny oplysning, som kræver, at et ellers tilsyneladende færdigt afsnit må skrives helt om. Det har krævet store arbejdsmæssige ressourcer at holde bøgerne ajour, men dette arbejde kan meget vel have været overladt til sekretærer og skrivere. Om skriverne i Lykeion har været slaver eller frie, ved vi ikke; måske er Pompylos, som nævnes i testamentet, Theofrasts sekretær.

Vi har tidligere set, hvordan Theofrasts bøger i den overleverede form er disponeret, så de er lette at finde rundt i, og hvordan faste udtryk minder forfatteren om, at emnet ikke er færdigbehandlet: Bemærkningen 'dette må undersøges nærmere' går igen og igen i Theofrasts botaniske værker, men er meget sjældnere i Aristoteles' zoologi. Dette kan umiddelbart virke ejendommeligt, især da Theofrast havde meget længere tid til at færdiggøre sine *Historiai* end Aristoteles. D.M. Balme har i en epokegørende lille opsats,[56] som blev udgivet posthumt sammen med hans oversættelse af Aristoteles' *Undersøgelse af dyr* (HA) fremsat den provokerende (men i mine øjne meget sandsynlige) tanke, at Aristoteles' værk ikke (som almindeligt antaget) i sin nuværende form er et ungdomsværk, skrevet under opholdet i Assos, men at de ni første bøger er skrevet efter de øvrige biologiske værker og i lyset af dem, mens kun den 10. bog tilhører det tidligere lag. Den bevarede bog er med andre ord en 'anden udgave' af en *historia*, som adskiller sig radikalt fra Theofrasts værk ved at være baseret på andre peripatetiske gennemskrivninger og ikke direkte på rapporterne. Det forklarer samtidig det ejendommelige faktum, at Aristoteles' værk har meget færre referencer til kilder. Selvom det også er ujævnt i sin fremstilling (og selvom der højst sandsynligt har været arbejdet videre på det efter Aristoteles' død), kan man derfor ikke uden videre drage paralleller mellem de to peripatetikeres værker. Theofrasts bøger er efter dette ræsonnement nemlig de mest ufuldkomne, selvom de er skrevet senere.

Fejl- og gentagelser

Enhver, der skriver en bog, begår fejl. Nogle bliver rettet i korrekturen, andre ærgrer forfatteren sig over, når bogen er publiceret. Denne moderne tankegang har en tendens til at påvirke synet på antikke værker, hvoraf nogle nok var beregnet på offentliggørelse, men hvor der hverken herskede de gældende copyrightregler eller var tale om oplag af mange, fuldstændig ens eksemplarer. I Theofrasts tilfælde var formålet med HP og CP efter alt at dømme ikke engang en publikation i antik forstand. Bøgerne var som før nævnt blot arbejdsredskaber.

HP indeholder flere eksempler på afsnit, som virker malplacerede. Et særlig tydeligt eksempel er HP 9.18.3, som omhandler *aristolochia*, 'slangerod', og dens medicinske virkninger. Hort har følgende kommentar: 'This section is repeated 9.20.4 with considerable variations: that seems to be its proper place.' Der er altså tale om, at de samme oplysninger bringes i to versioner, hvoraf den sidste formentlig er den relativt rigtigste. Theofrast har endnu ikke fjernet den tidligere (og mindre omfattende) indførsel, og i overleveringen har begge fået lov at stå. Et helt tilsvarende eksempel er slutningen af HP. Foruden den nuværende 9. bog er der i hovedhåndskriftet Urbinas Græcus 61 og dets afskrifter overleveret en 10. bog, svarende til teksten indtil 9.19.4. Bogen er kun trykt i de første renæssanceudgaver af Theofrast, og indtil der foreligger en ny, tekstkritisk udgave af de sidste bøger af HP, er man henvist til Wimmers og Horts ganske utilfredsstillende sammenblanding af de to traditioner. Det må indtil videre være tilladt at forestille sig, at den såkaldte 10. bog er en parallelt overleveret tidligere version af 9. bog, som ved skæbnens gunst har fået lov at overleve.

Præteritum og andre omskrivninger

I de fleste tilfælde, hvor de indarbejdede, men stadig synlige rapporter refererer deres kilde, omtales den som før nævnt i præsens: 'de siger, at ...' I rapporterne fra Orchomenos-søens rørbevoksning (side 130ff) og i Satyros' rapport fra Arkadien optræder der imidlertid et særligt træk: Der bruges præteritum ('de sagde, at ...') om situationen, da meddelerne gav rapportørerne oplysninger. Er det redaktørens eller rapportørens præteritum? Jeg tror ikke, der findes et entydigt svar, men hælder i de fleste tilfælde til at mene, at det må skyldes Theofrast selv. I arbejdet med at inkorporere rapporterne har Theofrast nemlig måttet foretage adskillige sproglige omformuleringer, ikke mindst forandringen fra direkte tale til indirekte. Her er bearbejdelsen af de fire rapporter fra røgelsesproduktionen (HP 9.4, side 145ff) meget oplysende, og arbejdsgangen kan i dette tilfælde rekonstrueres med ret stor sikkerhed: Theofrast har haft fire, efter alt at dømme skriftlige, rapporter for sig. Arbejdet er gået ud på at sammenføje oplysningerne til én fremstilling, men oplysningerne har ikke været fuldt tilfredsstillende, og Theofrast har derfor følt det nødvendigt at inddrage alt og vurdere værdien af hver rapport uden at udelade noget. Den manglende kvalitet hænger nok sammen med de uskolede rapportører, se den ret hårde kritik af deres dømmekraft i HP 9.4.8.

Brugen af præsens, præteritum og akkusativ med infinitiv i HP 9.4 bekræfter således hypotesen om, at der under redaktionsarbejdet i Lykeion er sket ret kraftige ændringer i teksterne.

Hertil kommer stilistiske ændringer og evt. fjernelse af dialektale forskelle. Einarson & Link (1976 I.xxii-xlvi) har på baggrund af ældre forskning (særligt Hindenlang 1909) foretaget grundige sproglige analyser, hvoraf det fremgår, at

Theofrast selv i sit tørre videnskabelige sprog har nogle stilistiske standarder, som Aristoteles sjældent lever op til. De sammenfatter det s. xxix: 'Theofrast skriver *Kunstprosa*, dvs. sin samtids velklingende prosa, som vi kender den fra *Athenernes Statsforfatning*. Denne prosa søger at låne en poetisk elegance og samtidig forblive prosa.'[57] Det gælder raffinementer som undgåelse af hiat (dvs. at et ord ender på en vokal, hvis det næste begynder med en vokal) og rytmiske slutninger af sætningerne. Side xli hedder det: 'Virkningerne af det manglende hiat er tydelige på hver side: Ordstilling, syntaks og ordvalg bliver hele tiden påvirket. At overse disse virkninger er ensbetydende med, at man overser et uundværligt middel til at fastlægge, forstå og nyde teksten.'[58] En efterprøvning viser, at Einarson og Link har ganske ret, oven i købet med den vigtige tilføjelse, at det har ikke været mig muligt at påvise en større hyppighed af hiater i rapporterne end i den omliggende tekst. Med mindre man forestiller sig, at Satyros og hans medrapportører selv har filet på sproget eller sågar har afleveret den i *akkusativ med infinitiv*, må disse detaljer derfor skyldes Theofrast (eller hans sekretær); rapporterne er med andre ord blevet sprogligt revideret i forbindelse med indførelsen i teksten.

Thrasyas fra Mantineia

Som det sidste eksempel på Theofrasts indsamling og bearbejdning af oplysninger vil jeg citere den gennemredigerede og sprogligt finpolerede beretning om en effektiv og smertefri skarntydeblanding. Afsnittet stammer fra den del af HP 9, hvor Theofrast omtaler planters indvirkning på mennesker. Preus 1988 har en god gennemgang af disse kapitler, heriblandt en oversættelse af kapitel 18 (om orchideers potensfremmede virkning), som den viktorianske Sir Arthur Hort har udeladt i sin udgave. Rhizotomen Thrasyas fra Mantineia i Arkadien kendes kun fra dette sted og fra en bemærkning i næste kapitel [HP 9.17.1], hvor han omtales som 'tilsyneladende yderst kvalificeret (deinótatos) hvad angår brugen af rødder'. Medicinske planter kaldes rhízai 'rødder', og rhizotomen er altså både den, der finder planterne og den, der fremstiller medicinen eller giften – på græsk det samme ord: fármakon.

Thrasyas fra Mantineia havde, som han sagde, fundet en gift, som giver en let og smertefri død. Han brugte saften af skarntyde, valmue og andre lignende planter, hvorved en dosis fik en meget praktisk størrelse og kun vejede ca. en drachme (4-5 gram). Der er absolut ingen kur imod den, og den kan holde i ubegrænset tid uden at forandre sig det mindste. Han indsamlede ikke skarntyden hvor som helst, men i Susa eller et andet køligt og skyggefuldt sted. På samme måde med de andre ingredienser. Han blandede også mange andre gifte af mange planter. Hans elev Alexias var ikke mindre kvalificeret og ferm end sin lærer. Han var nemlig desuden kyndig i medicin i almindelighed.

Disse ting har man tilsyneladende fået meget bedre klarhed over nu til dags end førhen. Flere ting viser tydeligt, at forskellen består i, hvordan man bruger hver enkelt gift. Folk på Keos brugte ikke skarntyde sådan førhen, de rev den, og det samme gjorde andre. Nu til dags ville ingen rive den; de skræller den derimod og fjerner skrællen; det er nemlig den, der skaber problemet, fordi den er vanskelig at optage. Herefter støder de den i en morter og efter at have siet det fint, strør de det ud i vand og drikker det, og deres bortgang bliver hurtig og let. [HP 9.16.8-9]

'Susa' er et ukendt sted i Arkadien; efter al sandsynlighed er navnet forkert overleveret og dækker over det velkendte Lusoi.[59] Citatet bliver i almindelighed opfattet sådan, at Thrasyas har udgivet en bog, hvorfra Theofrast citerer. Jeg tror snarere, at der er tale om en mundtlig overlevering om den store sejdkoger og hans opvakte elev, som man har fortalt Satyros eller en anden. Det er der flere grunde til: Begge personer omtales i præteritum og ikke i præsens, som citaterne fra bøger med få undtagelser gør. Den efterfølgende bemærkning om Thrasyas' dygtighed i HP 9.17.1 hører til i en omtale af folks tilvænning til giftstoffer, som de efter lang tids optrapning kan blive immune over for. Der står videre: '... der er nemlig folk, som spiser så meget brækrod (*helleboros*), at de kan fortære hele bundter uden at tage skade. Det var, hvad Thrasyas gjorde, og han var tilsyneladende yderst kvalificeret, hvad angår brugen af rødder'. Denne og den følgende beretning om hyrder, der også er blevet immune, lyder mere som gode historier end som citater fra en urtebog. Endelig kan oplysningen om Alexias og hans evner ikke stamme fra den teoretiske bog, men må være en anerkendende bemærkning fra en eller anden kollega.

Hvornår Thrasyas og Alexias levede, ved man ikke, men deres effektive medicin og dens virkning svarer meget godt til Platons berømte beskrivelse af Sokrates' død i *Faidon* og Xenofons bemærkninger om Sokrates' holdning sidst i *Apologien*: 'Han ventede glad på døden og underkastede sig den.' Det er nok værd at mærke sig, at Thrasyas' euthanasimedicin indeholdt valmue, dvs. opium, og at den sløvende virkning heraf sagtens kan have modvirket de voldsomme kramper, som nutidige beskrivelser af skarntydens indvirkninger fremhæver, men som ingen antik kilde omtaler. Theofrasts omtale af 'nu om dage' kan med lidt god vilje strækkes til slutningen af 400-tallet.[60]

Hvordan det nu end forholder sig, er afsnittet et godt eksempel på en oplysning, der er hentet uden for Lykeion, og som viser interesse for botanik i bred forstand. Samtidig vidner den også om bearbejdningen af flere kilder (heriblandt fra Keos, der kun omtales på dette sted) og om et tilsyneladende nøje kendskab til proceduren ved velplanlagte selvmord. Der står forbløffende nok intet om de statsautoriserede giftdrab, som vi normalt forbinder skarntyden med.

6 · Nogle eksempler
på Theofrasts metode

Oversigt

Dette kapitel indeholder oversættelser af fem længere passager:

HP 1.1.1-1.3.2, metodeafsnittet hvori Theofrast problematiserer botanikken som studieområde og giver forskellige løsningsforslag

HP 3.8.1-3.9.1, hvori Theofrast diskuterer inddelingskriterierne for egetræer med særligt henblik på meddelernes stærkt divergerende opfattelser

HP 4.10.7-4.11.9, hvori Theofrast kommenterer en rapport fra rørsumpen i Kopaissøen

HP 4.7.3-7 og CP 2.5.5, hvori Theofrast refererer to dele af en rapport fra Indusdeltaet og mangroveskoven på Tylos (Bahrein)

HP 9.4, hvori Theofrast sammenskriver og vurderer fire rapporter om røgelsesproduktionen ved Rødehavet

Oversættelserne, hvoraf nogle tidligere har været trykt i en lidt anden form, er efterfulgt af en kortfattet kommentar, hvori jeg diskuterer forskellige enkeltproblemer lidt mere indgående. Oversættelserne er forsynet med overskrifter i kursiv indsat for egen regning og forhåbentlig til hjælp for læseren. På samme måde skulle typografien få Theofrasts inddelingskritierier til at træde tydeligere frem. Herefter følger:

Liste over de 26 steder i HP og CP, hvor Arkadien omtales

Metodekapitlet i HP 1.1.1-3.2[61]

Grundbegreber i plantediagnosen

1.1.1 · Planternes forskelle og øvrige natur bør man behandle efter deres
- dele
- særlige egenskaber
- formering og
- levevis

Adfærdsmønster og handling har de – i modsætning til dyrene – ikke.

Apori (1): Hvad er en 'del' i botanikken?
Forskelle i formering, egenskaber og levevis er lettere at iagttage og enklere <end hos dyrene>, hvorimod forskelle i deres dele udgør et broget billede. Først og fremmest findes der ikke en ordentlig definition på, hvor meget man kan kalde dele og hvor meget ikke, og heri består problemet.

*Apori (2): Kan zoologiske analogier bruges
i botanikken?*
2 · Man skulle mene, at en del – der jo udgør plantens særlige natur – altid måtte være til stede, eller i det mindste vise sig senere ligesom de senere udviklede dele hos dyrene, medmindre de mistes på grund af sygdom, alder eller lemlæstelse. Men nogle dele hos planterne er således indrettet, at de har en enårig tilværelse, fx blomst, rakkel, blad, frugt, kort sagt alt det, som udvikles før eller samtidig med frugten. Hertil kommer selve skuddet; træer har nemlig altid en årlig tilvækst såvel foroven som ved roden. Hvis man derfor vil

definere dem som dele, bliver deres antal uafgrænset, og smådelene i dem bliver aldrig de samme. På den anden side: Hvis de ikke er dele, bliver konsekvensen, at de ting, hvorigennem planterne både bliver og virker fuldkomne, ikke er dele. For når planterne skyder, blomstrer og bærer frugt, synes de – og er faktisk – smukkere og mere fuldendte end ellers. Dette er altså problemerne i store træk.

Svar: kun delvis

3 · Måske skal man ikke undersøge alting efter de samme principper <som hos dyrene>, hverken andre dele eller dem, som vedrører formeringen. Hos planterne må man også definere de ting, der bliver 'født' – dvs. frugterne – som dele. (Det gælder nemlig på ingen måde for dyrenes afkom, og selvom en plante er smukkest for øjet i sin blomstring, er det intet bevis, eftersom også dyr er frodigt, når de er drægtige.)

Planterne afkaster også mange dele hvert år, ligesom hjorte kaster gevirer, fuglene deres fjer, når de er i hi, og de firføddede dyr deres hår. Det er der intet mærkeligt i, og det er en egenskab ganske svarende til løvfaldet. Men dette er ikke tilfældet med formeringsorganer, selvom også nogle dele hos dyrene dannes i forbindelse med fødslen, mens andre udstødes som fremmede for dyrets natur. Tilsyneladende forholder det sig nærmest sådan med de dele, som vedrører plantens vækst. For væksten sker på grund af formeringen, som er endemålet.

Konklusion: Man skal være yderst forsigtig med analogier

4 · I det hele taget bør man, som vi har nævnt, ikke behandle alle dele på samme måde som ved dyrene. Det betyder, at antallet af dele ikke er afgrænset; planten kan nemlig skyde overalt, fordi den er levende overalt. Det må være udgangs-

punktet, ikke bare lige nu, men også med henblik på det føl-
gende. Det er nemlig ørkesløst for enhver pris at klynge sig
til ting, der ikke er sammenlignelige. Vi må jo passe på ikke at
tabe vores egentlige studieområde af syne!

Diagnosens discipliner og metode

Undersøgelsen af planter omfatter, for at sige det enkelt, enten
    – de ydre dele og hele plantens form eller
    – det indre, ligesom hos dyrene ved anatomiske undersø-
gelser

5 · Ved disse dele bør man skelne mellem
    – hvilke der er fælles for alle planter
    – hvilke der er særlige for hver slags planter, og endvidere:
    – hvilke af dem der svarer til noget andet, fx blad, rod,
bark

Hvis noget skal undersøges ved analogi med dyrene, bør det
også være klart, at vi foretager sammenligning af de dele,
som er mest samsvarende og fuldkomne, og udelukkende de
dele hos planterne, som kan sammenlignes med noget hos
dyrene, sådan at man kan sammenligne det analoge.
    Dette må nu være defineret på denne måde.

'Forskel' er hovedhjørnestenen i diagnosen
6 · Taget i store træk falder forskellene i dele i tre grupper:
enten ved at
    – nogle enten har eller ikke har dem, såsom blade og
frugt, eller ved at
    – de hverken findes ens eller ligedannede, eller for det
tredje ved at
    – de ikke findes på den samme måde

Blandt disse defineres *uensheden* ved:
- form
- farve
- tæthed/spredthed
- ruhed/glathed
- og andre egenskaber, hvortil kommer forskellene i saft.

Uligheden deles i mængde og størrelse ved hjælp af:
- overskud og
- underskud

I det store og hele deles alle forskelle op i overskud og under-
skud, for 'mere' og 'mindre' er det samme som over- og un-
derskud,

7 · hvorimod 'ikke på samme måde' er en forskel i place-
ring – jeg mener, når fx nogle planter har frugterne siddende
oven over og andre neden under bladene; på selve træet sid-
der nogle i toppen, andre på sidegrenene, andre igen på stam-
men – som den ægyptiske morbærfigen. Der er også nogle,
som bærer frugten under jorden, fx arachidna og den, som i
Ægypten kaldes *ouingon*. Nogle har desuden frugten på en
stilk, andre ikke.

Med blomster forholder det sig på samme måde: Nogle
sidder omkring selve frugten, andre anderledes. I det hele ta-
get skal man undersøge forholdet om placering i forbindelse
med frugterne, bladene og skuddene.

8 · Nogle adskiller sig også ved *placering*. Nogle dele sidder
tilfældigt, mens ædelgranens grene sidder over for hinanden.
Nogle planters grene sidder med samme afstand og i samme
antal, som det er tilfældet ved de treskuddede. Derfor må
man tage forskellene ud fra de ting, hvorfra hele formen bli-
ver forklaret på hvert enkelt punkt.

De overordnede plantedele

9 · Nu skal vi så forsøge at gennemgå hver af disse efter først at have opregnet dem. De første og vigtigste, der er fælles for de fleste planter, er følgende:

– rod
– stængel
– gren
– skud

som man kan opdele planten i, næsten som i lemmer hos dyrene. De er alle forskellige fra hinanden, og tilsammen udgør de hele planten.

Roden er det, hvorigennem planten optager næring.

Stænglen er det, hvortil den føres. Stængel kalder jeg det, der er sammenvokset til ét, over jorden. Dette er den største fællesnævner både for enårige og flerårige planter; hos træerne kaldes den for stamme.

Grenene er spaltet ud herfra; nogle kalder dem 'øjne'.
Skud er tilvæksten fra grenene under ét; det er først og fremmest enårigt. Dette gælder især træerne.

Definitoriske problemer

10 · Stænglen er som sagt en fællesnævner. Alligevel har ikke alle planter den – fx nogle af urterne. Nogle har den ikke til stadighed, men kun i ét år ad gangen, også de der er flerårige i roden.

I det hele taget er planten mangfoldig, varierende og vanskelig at beskrive generelt. Et bevis herpå er, at det ikke er muligt at anføre et fællestræk, som findes hos alle, sådan som 'mund' og 'bug' hos dyrene.

11 · De må beskrives snart ved analogi, snart på anden vis. For de har ikke alle rod, stængel, gren, skud, blad, blomst, frugt, eller bark, kærneved, sener og årer – det gælder fx svampe og trøfler.

Træet er standard i beskrivelsen
Plantens væsen findes i disse og tilsvarende dele, men for det meste er de som sagt til stede i træer, og inddelingen passer bedst på dem. Det er også rimeligt at bruge dem som standard for de andre planter.

12 · Træerne fremviser også omtrent alle øvrige træk ved planter. De adskiller sig nemlig indbyrdes ved mængde og fåtallighed, ved tæthed, spredthed og i, om én del spaltes i flere, og lignende.

Ensartet og uensartet
Ingen af de ovenfornævnte dele er ensartet. Jeg kalder det ensartet, når en hvilken som helst del af roden eller stammen består af det samme, men det, man tager ud, kaldes ikke 'stamme', men 'en del af stammen' – ganske som det er tilfældet med dyrenes lemmer. For en hvilken som helst del af et ben eller en arm består af det samme, men har ikke et fællesnavn (som kød og knogle) og mangler en betegnelse. Det gælder også de underinddelinger af organer, der er ensartede, for alle deres dele mangler betegnelse. Men hos dem, der har flere underinddelinger med flere slags, findes der navne, fx hedder nogle dele i foden, hånden og hovedet 'finger/tå (på græsk hedder begge dele *daktylos*), næse, øje'.

Dette er i store træk de overordnede dele.

De ensartede dele (a)
1.2.1 · De andre dele, som de overordnede dele består af, er
  – bark
  – ved
  – kerne – forsåvidt de har kerne

De ensartede dele (b)
Disse er alle ensartede. Og de består igen af noget, der kommer før:
  – væde
  – sene
  – åre
  – kød

Disse ting er begyndelsesgrundene – med mindre man vil
tale om elementernes egenskaber, men de er jo fælles for alting. Planternes væsen og hele natur findes altså i disse.

De uensartede dele (a): de enårige
De andre er de såkaldt enårige dele i forbindelse med frugtsætningen, fx:
  – blad
  – blomst
  – stilk – det er det, hvormed bladet eller frugten er hæftet
    til planten, og endvidere:
  – rakkel – hos dem, som har det, og hos alle:
  – frugtens frø. 'Frugt' består nemlig af frøet og frugtkødet
    tilsammen.

Foruden disse er der nogle specielle, som fx:
  – egens galler
  – vinens slyngtråde.

Uensartede dele (b): de flerårige

2 · Hvad træer angår, kan man skelne således mellem de en-
årige dele, men med hensyn til de enårige planter, er det
klart, at alt er enårigt. Deres natur strækker sig kun til frug-
terne. Men de planter, som sætter frugt næste år og som er
toårige – som selleri og den slags – og de, som lever endnu
længere, hos alle dem kommer stænglen i takt med plantens
udvikling. For når planterne skal til at sætte frugt, sætter de
stængler, fordi stænglerne er til for frøets skyld.

Lad disse ting nu være opdelt på denne måde.

Systematisk gennemgang af plantens opbygning

Vi vil nu prøve at gennemgå hver enkelt af de ovenfor nævn-
te dele og i store træk fortælle, hvad de er.

3 · Væden er jo tydelig nok; nogle kalder den for alle planters
vedkommende bare saft, som fx Menestor, mens andre lader
den være navnløs hos nogle planter, men kalder den saft hos
visse og tårer hos andre.

Sener og årer er i og for sig navnløse dele, men overtager
navnet fra delene hos dyrene.

Muligvis har planteriget foruden disse ting også andre
forskelle, for det er, som vi har nævnt, meget varieret. Men
da man må søge det ukendte gennem det bedre kendte, og da
det bedre kendte er det større og tydeligere for vore sanser, er
det klart, at man må tale om disse ting, som gjort ovenfor.

4 · Vi vil nemlig få mulighed for at sammenligne det ene med
det andet og se, hvor meget og hvordan de hver især ligner
hinanden.

Delenes forskelle

Nu er delene behandlet, og herefter skal vi tale om deres for-
skelle. På denne måde vil det på én gang blive klart, hvordan
delenes væsen er, og hele opdelingen i de forskellige plante-
grupper.

De vigtigste deles natur er stort set omtalt – jeg mener
roden, stænglen osv.; deres funktioner og deres formål vil
hver især blive omtalt senere. Vi vil nu prøve at nævne, hvad
disse og andre dele består af, idet vi begynder med de første
dele.

De første dele er væde og varme, for enhver plante inde-
holder noget naturlig væde og varme, på samme måde som et
dyr. Hvis de mindskes, indtræffer der ælde og svækkelse, og
er de helt forsvundet, død og henfald.

5 · Hos de fleste planter har væden ikke noget navn, mens
den hos nogle planter som sagt har en benævnelse. (Dette er
også tilfældet hos dyrene, for kun væden hos dyr med blod
har et navn. Herved er én gruppe også adskilt fra en anden
ved 'mangel': Nogle kaldes nemlig 'dyr med blod' andre
'blodløse dyr'.)

Væde er altså den ene del, og tæt forbundet hermed er
varme.

Zoologiske termer i botanikken

Der er også andre af de indre dele, der i sig selv er navnløse,
men som på grund af ligheden sammenlignes med dyrenes
dele. Planterne har nemlig en slags sener, dvs. noget sam-
menhængende, spalteligt og langt, som hverken har sideskud
eller skyder selv.

Endvidere har de årer;

6 · i de fleste henseender er de ligesom senerne, men de er
større og tykkere, og de har sideskud og indeholder væde.

Hertil kommer ved og kød. Nogle har nemlig ved, andre kød. Ved er spalteligt, hvorimod kød er deleligt på alle leder og kanter, ligesom jord og ting af jord; det er en mellemting mellem sener og årer, og dets natur er tydelig først og fremmest i frøkapslernes hud.

Bark og og kerne har deres egne navne, men bør også defineres: Bark er således det yderste, og det som begrænser det underliggende legeme, kernen er i veddets midte, det tredje efter barken – ligesom marven i knoglerne. Nogle kalder det hjertet, andre indertræ. Nogle kalder kun det inderste af kernen for hjertet, andre kalder det marv.

De uensartede deles sammensætning

7 · Omtrent så mange smådele er der altså, og de sidstnævnte består af de første:

Ved består af sener og væde. Nogle former består også af kød, for det forvedder, når det bliver hårdere, fx hos palmer og pastinak, eller hvor noget bliver træet, som i radisens rødder.

Kerne består af væde og kød.

Noget bark består af alle tre ting, fx hos eg, sortpoppel og pære. Vins bark består af væde og sener; kermesegens bark består af kød og væde.

Af disse bliver de føromtalte, største dele så sammensat – nærmest som lemmer, bortset fra, at ikke alle dele sammensættes af det samme og heller ikke på samme måde, men på forskellig vis.

De fire plantegrupper

Efter omtalen af så at sige alle smådele, skal vi nu forsøge at angive forskellene på dem og træers og planters væsen i deres helhed.

114

1.3.1 · Men da det forholder sig sådan, at forståelsen af noget bliver bedre, hvis man opdeler det i grupper, er det en god idé at gøre det, hvor man kan.

De første og største grupper, som alle planter (eller de fleste) indeholdes i, er følgende:

- træ
- busk
- halvbusk
- urt

Træ er således det, der har én stamme fra roden, mange grene og skud, og som ikke er let at rykke op, fx oliven, figen og vin.

Busk er det, som har mange stammer og grene fra roden, fx brombær og paliurus.

Halvbusk er det, der har mange grene fra roden, fx kål (også kaldet *krambe*) og rude.

Urt er det, der kommer op fra roden med mange blade, uden stamme, men med en frøbærende stængel, fx korn og grøntsager.

Inddelingens anvendelighed

2 · Man skal imidlertid forstå og bruge disse definitioner ud fra den forudsætning, at vi taler om planter i grove træk. Ellers kunne det se ud, som om nogle planter tilhører flere slags, og at planter under kultur forandrer sig og fjerner sig fra deres natur, fx den slags katost, der både skyder i vejret og bliver træagtig. (Dette sker nemlig ikke over længere tid, men i løbet at seks eller syv måneder, sådan at længden og tykkelsen bliver som på et spyd, hvorfor man også bruger dem til spaderestokke. Går der længere tid, bliver resultatet tilsvarende større. Sådan er det også med beder, for de bliver også større.) Det gælder i endnu højere grad kyskhedstræ, paliurus og vedbend, der efter almindelig opfattelse bliver til træer, selvom de er buskagtige.

I de følgende afsnit diskuterer Theofrast muligheden af andre inddelingskriterier og indfører bl.a. en alternativ inddeling efter biotopen. Han slutter kap. 4. med ordene: 'Sådan bør man opfatte inddelingskriterierne og i det hele taget studiet af planterne'.

Kommentar

1.1.1-4 · har ikke, som fx 1. bog af Aristoteles' *Om Dyrenes Dele* (PA), en generel indledning om disciplinens nytte, men springer lige ud i teoretiske overvejelser, der klart viser, at læseren formodes at være fortrolig med det peripatetiske begrebsapparat og arbejdsformen i Lykeion. Afsnittet har snarest lighed med de første kapitler i 2. bog af PA.

Der er mange uafklarede spørgsmål i dette afsnit. Fx er der langt fra enighed om, hvad 'særlige egenskaber' (*pathe*) betyder. I denne forbindelse er det dog vigtigere at lægge mærke til, hvad der *ikke* står. Theofrast finder meget forståeligt ikke anledning til at forklare de peripatetiske standardgloser som 'forskel' og 'del' eller selve opgaven 'diagnose'. Det ved læseren eller tilhøreren fra tidligere. Derimod er det påfaldende, at begrebet 'plante' ikke defineres, ligesom der ikke tages stilling til den opfattelse af planten og dens plads i Aristoteles' *scala naturæ*, som læserne formentlig er fortrolige med fra hans bøger eller forelæsninger, se ovenfor side 27.

Metoden er den velkendte aporetiske, som først proble-
matiserer for derefter i flere tempi at indkredse et tilfreds-
stillende svar. Det lykkes kun delvis, for svaret bliver, at man
(i hvert fald på undersøgelsens nuværende stade) ikke kan
indpasse botanikken i et større teleologisk system, hvor ana-
logier fra zoologien kan bruges til at forstå planternes natur.
En meget væsentlig apori står uløst tilbage: Hvad er plantens
dele? De kan af gode grunde ikke være ubegrænsede, men de
kan heller ikke begrænses som hos dyrene, for i så fald ville
stort set hele planten forsvinde mellem hænderne på forske-
ren. Theofrast gør med andre ord opmærksom på, at den her-
skende opfattelse af en forbindelse, en analogi, mellem plante
og dyr kan lede forskeren på vildspor og kun bør benyttes
med yderste forsigtighed.

Det er også bemærkelsesværdigt, at denne kritik ikke en-
der med en afvisning af analogimodellen. Theofrast ser svag-
hederne, men har for tiden intet alternativ, og de grundlæg-
gende problemer må derfor stå uløste.

1.1.4-8 · Man kan tydeligt mærke, at Theofrast føler sig på
hjemmebane i dette afsnit. De aristoteliske begreber morfo-
logi/anatomi (naturligvis kun makroskopisk) og lighed/ulig-
hed/analogi kan uden videre overføres, selvom der igen an-
tydes problemer med analogierne til zoologien. Det centrale
begreb er endnu en gang 'forskel', *diafora*. Verden inddeles i
forståelige enheder, ved at man igen og igen stiller spørgsmå-
let: 'Hvad er forskellen på *a* og *b*' i forskellige varianter, og
Theofrast opregner de tre hovedforskelle: den eksistentielle,
den kvalitative og den kvantitative forskel – med et par
underafdelinger. Dette afsnit virker som de øvrige i metode-
afsnittet meget gennemarbejdede. Måske hører de til de sidst
tilkomne i HP.

117

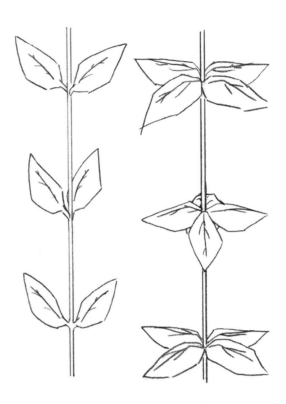

1.1.9-2.2 · I dette afsnit tager Theofrast den eneste fornuftige konsekvens af sine overvejelser over 'plantens dele', nemlig at finde en fællesnævner for de fleste planter. (Se fig. 2 s. 120).

De mest generelle dele er: rod, stængel, gren og skud, som defineres – igen med en diskret afstandtagen fra Aristoteles' plante, der står på hovedet: 'Det er ikke muligt at anføre et fællestræk, som findes hos alle, sådan som 'mund' og 'bug' hos dyrene'. Når Theofrast som eksempel på planter, der ikke falder ind under definitionen, nævner svampe og trøfler, betyder det blot, at disse væsener, der jo lever i jorden, på en eller anden (endnu ikke klarlagt) måde hører med til plante-

Fig. 1a og b. Disse stænglers blade
adskiller sig ved *thesis,* 'placering'.

riget, fordi svampe ligesom egentlige planter mangler bevæ-
gelse, kønnet formering, 'adfærd' (se HP 1.1.1). Det er samti-
dig et eksempel på en næsten reflektorisk fremhævelse af en
apori, som vi også kender den hos Aristoteles. Den svenske
Theofrastforsker Reinhold Strömberg forsøgte i sin dispu-
tats *Theophrastea. Studien zur botanischen Begriffsbild-
ung*[62] at påvise en særlige 'typologisk metode' opkaldt efter
yndlingsudtrykket 'for at tage det som type'. Metoden skulle
være særegen for Theofrast og vise ham som en mere prag-
matisk – og mere empirisk – forsker end Aristoteles. Sandt er
det, at Theofrast tit gør opmærksom på inddelingskriterier-
nes foreløbighed, men det gør Aristoteles nu også; det er des-
uden værd at bemærke, hvordan Theofrast i *Charaktererne*

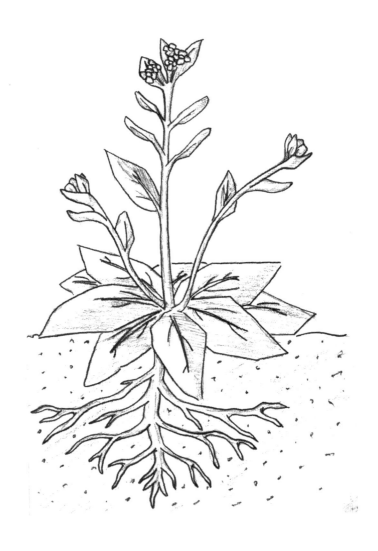

Fig. 2. Denne tegning illustrerer Theofrasts idealplante med rod, stængel, gren, skud, blad og blomst. Selv ville han muligvis have valgt et træ som illustration.

definerer sine mennesketyper med varianter af betydningen *A er B*, der spænder fra et simpelt 'er' til 'kunne være', 'er generelt', 'kunne defineres som' osv., uden at nogen for alvor kan mene, at der er andet end stilistisk forskel på udtrykkene. Theofrast skaber ikke en ny forskningsmetode, men forfiner den eksisterende ved at indføre flere kriterier og ved at bruge dem samtidigt.

I det videre arbejde er Theofrast nødt til at have en standardplante, som indeholder alle eller de fleste af de dele, som skal danne grundlag for hans teori. En sådan plante er træet, men træet er ikke skabningens herre på samme måde som mennesket er det i Aristoteles' zoologi, når han siger:

De mest forskellige former har de væsener, som ikke blot er levende, men også kan leve *godt*. Sådan er menneskeslægten, for enten er mennesket den eneste kendte dyreart, der har del i det guddommelige, eller også har mennesket den største del blandt alle væsener. Både derfor og fordi menneskets lemmer er bedst kendt, skal vi tale om det først. Mennesket har endvidere som det eneste dyr kroppens dele på deres naturlige plads: Dets øverste del peger mod universets øverste del, for mennesket er det eneste dyr, der går oprejst. [PA 656a]

Trods træernes imponerende højde og alder er det svært at finde lige så gode argumenter for deres prioritet i botanikken, som Aristoteles kan finde for mennesket som det eneste fuldkomne dyr. Det har den meget vigtige konsekvens, at botanikken ikke kan siges at være orienteret på samme måde som zoologien; der er ingen trin i denne ende af *scala naturae*. Teleologien er også vanskelig at få øje på. Hvor Aristoteles definerer delene efter deres funktion og fremhæver dette som den eneste rigtige metode, holder Theofrast sig til en strengt deskriptiv fremstilling. Der er næppe tvivl om, at Theofrast har valgt træet, fordi det er den plante, han og andre grækere kender bedst, og fordi den var den letteste at beskrive. Det er meget betegnende, at det også er den gruppe blandt Theofrasts planter, som nutidens botanikere kan bestemme med størst sikkerhed.

Ved inddelingen i ensartede (homøomere) og uensartede (anomøomere) dele i kapitel 2 optræder den zoologiske analogi igen, og Theofrasts tanker svarer ganske til Aristoteles':

De ensartede dele har disse egenskaber fordelt hver for sig (den ene er blød, den anden hård; én er flydende, en anden fast; én er fedtet, en anden tør). De uensartede dele derimod har mange og sammensatte egenskaber: Hånden skal bruge én egenskab til at klemme sammen om noget og en anden til at gribe ud efter noget. Derfor består kroppens redskabsdele både af knogle, sene, kød osv. – men det omvendte er ikke tilfældet. [PA 646b]

Derimod er Theofrast nødt til at operere med to former for uensartede dele: de enårige (hvortil hører ting, vi med vores viden ikke placerer her: rakler og galler) og de flerårige, jf. bemærkningerne i HP 1.1.2.

Theofrast har i dette afsnit skabt en idealplante, som har størst lighed med et træ, men som (i modsætning til Aristoteles' ideal, mennesket) ikke eksisterer; se diagrammet ovenfor side 28.

1.2.2-7 · Dette afsnit svarer nøje til indledningen i PA 2.1 (646a) – igen uden det teleologiske aspekt. Afsnittet ender som sædvanligt med en række forsigtige reservationer.

Udtrykket 'man må søge det ukendte gennem det bedre kendte' minder både om Aristoteles' bemærkninger om mennesket som standard og om denne passage i Aristoteles' meget smukke indledningsforelæsning om forskellen på astronomi og biologi som studieområde:

> Af alle de ting, som naturen har sammensat, er nogle uden begyndelse og er uforgængelige til alle tider, mens andre fødes og dør. De førstnævnte er ganske vist dem, vi sætter mest pris på – de er også guddommelige – men vi har kun begrænsede muligheder for et studium. Det er nemlig ud fra den smule, vi kan iagttage med vore sanser, at man må studere dem. Med hensyn til at forstå de forgængelige dyr og planter er vi meget bedre stillet, fordi vi lever midt iblandt dem. Hvis man vil gøre sig tilstrækkelig umage, vil man nemlig kunne vide meget om en hvilken som helst slags dyr. [PA 444b]

Endnu en gang vender Theofrast tilbage til smertensbarnet, den zoologiske analogi, og det er, som om han lidt resigneret accepterer en teminologi hentet fra den anden videnskab. Det er bemærkelsesværdigt, at han i samme åndedrag indfører synonymer for plantedele. Det fremgår som sædvanlig ikke, hvem 'nogle' og 'andre' er, men hvis man tager resten af værket i betragtning, må der være tale om dialektale og erhvervsmæssige forskelle i benævnelserne, ganske som vi kender det fra vore egne trivialnavne.

1.2.7-3.2 · Afsnittet indledes med det peripatetiske credo 'Opdeling fremmer forståelsen'. Alle lærere har deres egne yndlingsformuleringer, som de bruger i tide og utide (bevidst og ubevidst). Jeg tror, vi har med sådan en at gøre her.
Inddelingen af planterne i fire: træ, busk, halvbusk og urt har haft langtrækkende konsekvenser. Nogle er gået så vidt som til at betragte Theofrast som genial, fordi han inddeler,

som var han en moderne botaniker. Det er en stor og vidt udbredt misforståelse. Navnene på de fire plantegrupper er gode græske ord, som enhver bonde har brugt og forstået; andre steder i værket bruger Theofrast tre- og femdelinger. Den peripatetiske biologi kunne ubesværet bruge flere inddelingskriterier på én gang, alt efter hvad der fremmede forståelsen bedst. Det fremgår af det sidste afsnit i oversættelsen (3.2), der på sin vis giver Theofrast i en nøddeskal: den omhyggelige forsker, som dels vil opstille arbejdshypoteser og dels vil gardere sig og læseren mod at stole for meget på de endnu meget skrøbelige hypotesers værdi.

Om egetræer og folks inddeling af dem HP 3.8.1-9.1[63]

Indledning

3. bog handler om vilde træer. Kap. 1-2 har bl.a. beskæftiget sig med deres formering, løvspring og frugt- og frøsætning, forholdet mellem rodens og det øvrige træs størrelse og er sluttet med at beskrive de andre ting, som fx egetræer frembringer: galler, mistelten o.a.

Oversigt
3.8.1 · Hvis man vil behandle alle træer efter hver slags, er der som sagt flere forskelle. Den fælles, som folk adskiller alle træer i, er
  – hanlig og hunlig

hvoraf den ene hos nogle er frugtbar, den anden ufrugtbar, men hos dem, hvor begge er frugtbare, er den hunlige smukkere og mere rigtbærende (bortset fra, at nogle kalder denne form for hanlig, det er der folk, der gør).

En tilsvarende forskel er den, hvormed man inddeler i
– vild og dyrket

En anden forskel opdeler
– hver form af den samme slags

Dem skal vi nu tale om, idet vi samtidig også redegør for de former, som ikke er tydelige eller velkendte.

To anonyme inddelinger af egetræer
2 · Nu de forskellige slags ege – egen deler man nemlig mest op: Nogle taler slet og ret om dyrket og vild uden at opdele efter frugtens sødme (eftersom *fegos'* frugt jo er den sødeste; den kalder de for vild), men fordi den ene slags eg mest gror på dyrkede arealer og har et glattere ved, mens *fegos* har knudret ved og gror i bjergene.

Men altså: De forskellige ege deler nogle op i fire, andre i fem slags. Deres navne varierer også, fx kalder nogle folk den med de søde frugter for *hemeris*, andre kalder den for *etymodrys*. På samme måde med de andre.

Idæernes inddeling
Sådan som de, der bor omkring Idabjerget, inddeler, er der følgende former: *hemeris, aigilops, platyfyllos, fegos* og *halifloios* – nogle kalder den *euthyfloios*. Alle er frugtbare. Sødest er *fegos'* frugter som sagt, som nummer to kommer *hemeris',* derefter *platyfyllos',* nummer fire er *halifloios'* og sidst og bitrest *aigilops'.*

3 · Ikke alle af slagsen er søde, men sommetider også bitre, som fx *fegos*. De adskiller sig også ved deres agerns størrelse, form og farve.

Både *fegos* og *halifloios* har noget særligt. På de træer, som kaldes hanlige, bliver begge stenhårde i agernets ender, hver på sin måde: den ene slags ved skålen, den anden i selve kødet. Derfor fremkommer der nogle hulheder – ligesom i æg – når man tager dem ud.

4 · De adskiller sig også ved bladene, stammerne, veddet og deres hele form.

Hemeris er nemlig hverken opret voksende, lige eller højt. Væksten er bladrig over det hele, kroget og med mange sidegrene, så den bliver riset og lav. Veddet er stærkt, men svagere end hos *fegos*. Det er nemlig det stærkeste og det, der rådner mindst. Det er heller ikke opret voksende – endnu mindre end *hemeris*. Stammen er meget tyk, sådan at hele dens form bliver lav. Dens vækst er nemlig også bladrig over det hele og ikke opret.

Aigilops er den mest opret voksende, den højeste og den mest glatte og (i tømmerlængder) den stærkeste. Den vokser ikke (eller sjældent) på dyrkede arealer.

5 · *Platyfyllos* er nummer to i oprethed og længde, men til bygningsmateriale er den den ringeste næst efter *halifloios*. Den er dårlig til at brænde og til at lave kul af (ligesom *halifloios*) og næst efter den den mest ormædte.

Halifloios har nemlig en tyk stamme, der almindeligvis er svampet og hul, hvis den får en vis tykkelse, hvorfor den er uanvendelig til byggeri. Endvidere rådner den meget hurtigt. Det er nemlig et meget vandholdigt træ, og derfor bliver det også hult. Nogle siger, at det som det eneste ikke har noget hjerte.

Nogle æolere siger, at disse ege er de eneste, der bliver ramt af lynet, selvom de ikke bliver høje; derfor bruger de ikke veddet ved ofringer.

Med hensyn til ved og samlet udseende består forskellene i det nævnte.

Alle slags har galler, men *hemeris'* er den eneste, der kan bruges til huder. Gallen på *aigilops* og *platyfyllos* er af udseende meget lig den på *hemeris* (bortset fra, at den er glattere), men den er uanvendelig. Den har dog også en anden, den sorte, som man farver uld i.

Aigilops er den eneste, der har det, som nogle kalder skæglav, og som ligner tøjlaser og er gråt og ru. Det hænger ned i en alens længde, ligesom en lang lærredstrimmel. Det vokser ud af barken og ikke fra den knop, hvor agernet kommer fra. Det kommer heller ikke fra et øje, men fra siden af de øvre grene. *Halifloios* får trælav, der er sort i det og kort i vækst.

Makedonernes inddeling

6 · Sådan opdeler folkene fra Ida altså, men i Makedonien taler de om fire slags: *etymodrys* (den med de søde frugter), *platyfyllos* (den med de bitre), *fegos* (den med de runde) og *aspris*. Nogle siger, at den er ufrugtbar, andre siger, at frugten er dårlig, sådan at ingen dyr æder den undtagen svin, og tilmed kun når de ikke har andet – og som oftest får de noget med hovedet af det. Veddet er noget skidt: Hugget med økse er det ganske ubrugeligt, for det knækker og splintres. Uden hug fra øksen er det bedre, hvorfor man også bruger det sådan. Det er dårligt til brænde og til at lave kul af. Kullet er fuldstændig ubrugeligt, fordi det hopper og sprutter – undtagen for bronzesmedene. For dem er det bedre end de andre slags, for det går ud, når man holder op med at blæse, og derved bliver der kun brugt lidt. Veddet fra *halifloios* er kun

godt til aksler og den slags. Det er altså de inddelinger af egen, folk laver.

3.9.1 · Inddelingerne af de andre træer er færre. De fleste deler folk som sagt op i hanlig og hunlig bortset fra nogle få, hvortil fyr hører ...

🙶

Kommentar

I denne redaktion har Theofrast kun medtaget fire områders rapporter og har ikke indarbejdet den forholdsvis fyldige omtale, som findes i den arkadiske samling af data, se nedenfor side 152ff. Der er derfor ikke tale om en endelig redaktion af afsnittet om ege, men om to afsnit, der formentlig skal tænkes sammenredigeret på et senere tidspunkt. De to afsnit viser i øvrigt markante forskelle i oplysningernes art og i fremstillingsformen. Theofrast har i det her citerede afsnit tydeligvis været meget optaget af identifikationsproblemer, som for en stor dels vedkommende skyldes, at de græske dialekter ikke bruger samme ord om samme træ, og man mærker systematikerens problemer med et stof, der ikke bare i sin egentlige fremtrædelsesform, men også i den sproglige beskrivelse er så vanskeligt at få styr på. Det er også ganske lærerigt at bemærke, hvor meget agerns værdi som menneskeføde spiller i rapporterne; se nærmere i Tortzen 1996.

Fig. 3-5 viser tre forskellige egearter med deres karakteristiske blade og agern. Øverst den løvfældende Quercus robur, stilkeg; nederst tv. den delvis stedsegrønne Quercus aegilops, storfrugtet eg; nederst t.h. den løvfældende Quercus cerris, tyrkisk eg. Se også den stedse grønne Quercus coccifera, kermeseg, med de stikkende blade på planche *IV*.

Rapport om rørvegetationen ved Kopaissøen HP 4.10.7-11.9[64]

Indledning

HP 4.10 *indledes med det overordnede biotopiske inddelings-princip, som allerede er omtalt i* HP *1.4.2-4 og 14.3. Herefter følger en oversigt over forskellige vand- og sumpplanter hjemmehørende i og ved den nordøstlige del af Kopaissøen, et område som Theofrast kalder Orchomenossøen. Hele det kæmpemæssige vådområde får tilført vand fra Kefisos, Melas og mange mindre vandløb (*HP *4.11.8, se nedenfor), og den afvandes af underjordiske udløb,* chasmata – *i faglitteraturen bruger man ofte det nygræske ord* katavothres *for disse sprækker og gange i den underliggende kalksten. Fra tid til anden stoppede de til, og sumpen dannede et egentligt vandspejl. Alexander den Store satte en mineingeniør, Krates fra Chalkis, til at dræne søen, men bøoterne protesterede på et tidspunkt mod projektet, som derefter standsede. Theofrasts tekst røber intet tegn på ændringer i denne ende af søen, og det peripatetiske besøg kan derfor ikke tidsfæstes ad den vej. Søen har de sidste 100 år været tørlagt.*

Biotopen

4.10.1 · Planter, der er særlige for et område, skal naturligvis undersøges særligt, mens de, der findes almindeligt, undersøges i almindelighed. Også disse må man dele op efter voksesteder, fx de der overvejende er sumpplanter, søplanter og flodplanter eller som findes på alle disse steder. Man må også skelne mellem dem, der vokser både på våd og tør bund, og dem, der kun vokser på våd bund, altså kort sagt i modsætning til de meget almindelige planter, der er omtalt tidligere ...

Forskellige slags rør

4.10.7 · Når der er tørke, og der ikke kommer vand fra oven, tørrer alt i søen ud, særligt rørene, som mangler at blive omtalt; om de andre planter er der nemlig sagt tilstrækkeligt.

11.1 · Om rør siger folk, at der er to slags: aulosrør og den anden. Den anden slags udgør nemlig en gruppe, som adskiller sig indbyrdes i hhv. styrke og tykkelse, finhed og svaghed. De kalder den stærke og tykke slags for pælerør, den anden for fletterør. Fletterør gror på de flydende øer, pælerør i rørskove. 'Rørskove' kalder man de steder, hvor der er en sammenhængende rørbevoksning, og hvor rødderne er groet sammen. Dette sker på de steder ved søen, hvor jordbunden er god. Hist og her gror der også pælerør, hvor aulosrørene gror, og så er de længere end andre pælerør – men ormstukne. Disse forskelle nævner de på rør.

Aulosrørenes vækstforhold

2 · Med hensyn til aulosrør er det ikke sandt, hvad nogle siger, at den skyder hvert ottende år, og at det er reglen. Overordnet betragtet sker det, når søen bliver større, men fordi dette tilsyneladende er sket hvert ottende år i tidligere tider, har de gjort dette til rørets vækstsæson, idet de har opfattet det tilfældige som reglen.

3 · Det sker, når vandet efter et voldsomt regnskyl bliver stående i mindst to år. Hvis vandet bliver stående i flere år, bliver rørene også smukkere. Inden for de senere år husker de især dengang, da begivenhederne ved Chaironeia fandt sted. Før da, sagde de, havde søen været dyb i flere år. Senere herefter, da pesten hærgede, løb søen nok fuld, men vandet blev ikke stående og forsvandt i løbet af vinteren – og der kom ingen rør. De siger nemlig (og det synes at være rigtigt), at når søen er dyb, vokser rørene i længden, og hvis vandet bliver stående i flere år, modner de.

Aulosrørenes anvendelsesmuligheder og særlige kendetegn
De modne rør bliver til dobbeltrørblade, men hvis vandet ikke er blevet stående, bliver de til *bombyx*-rør.

4 · Ud fra en samlet betragtning adskiller aulosrør sig fra de andre rør ved en vis velnærethed i deres natur: De er nemlig mere fyldige og med mere kød, i det hele taget mere hunlige af udseende. De har også bredere og lysere blade og en mindre blomsterstand end de andre; nogle har slet ingen – dem kalder de eunukrør! Nogle folk siger, at der bliver de bedste dobbeltrørblade (*zeuge*) ud af dem, men kun få af dem lykkes under bearbejdningen.

Høsttidspunktet og dets betydning
Før Antigenidas' tid, da man spillede uden forsiringer, var det rette tid at skære rørene ved Arkturos' opgang i måneden Boedromios. Rør, der blev høstet på denne måde, blev først tjenlige adskillige år efter og skulle spilles meget op, men mundstykket sluttede meget fint til tungerne, hvilket er godt for det høje register (?).

5 · Men da man gik over til mere forsiret spil, ændredes skovningstidspunktet også. Nu til dags bliver de nemlig skåret i Skiroforion og Hekatombaion, lidt før solhverv eller ved solhverv. De siger, at den er brugbar efter to år og kun kræver en kort opspilning, og at tungerne holder elasticiteten, sådan som det er nødvendigt, når man spiller med forsiringer. Dette er altså tidspunktet for høst af dobbeltrørblade.

Fremstillingen af rørblade

6 · Fremstillingen foregår på denne måde: Når de har samlet rørene, lægger de dem i fri luft vinteren over med bladskederne på. Om foråret befrier de rørene for bladskeder, gnider dem grundigt og lægger dem ud i solen. I løbet af sommeren skærer de herefter rørene op i stykker fra knæ til knæ og lægger dem igen i fri luft et stykke tid. De lader knæet i vokseretningen blive siddende på mellemknæet. Længden af disse stykker er ikke under to håndsbredder. Til rørbladfremstilling skal mellemknæene fra den midterste del af hele røret være de bedste. Rørbladene oppe fra vækstdelen bliver meget bløde, og dem ved rødderne bliver meget stive.

7 · Blade fra det samme mellemknæ lyder godt sammen; det gør blade fra forskellige mellemknæ ikke. En tunge fra et stykke nede mod roden passer til den venstre aulos, en tunge oppe fra vækstdelen passer til den højre.

Når mellemknæstykket bliver spaltet i to, bliver begge tungers mund dér, hvor snittet i røret er. Hvis tungerne bliver lavet på en anden måde, lyder de ikke særlig godt sammen. Sådan foregår fremstillingen.

Aulosrørenes udbredelsesområde

8 · De fleste aulosrør gror mellem Kefisos og Den sorte Flod. Stedet kaldes Pelekania; dér findes de såkaldte Gryder, nogle fordybninger i søen, hvor de siger, at rørene er smukkest, og hvor den såkaldte Fåreflod løber ud – det er en flod, som løber fra Lebadeia. Allersmukkest synes de dog at gro ved det såkaldte Skarpe Hjørne. Dette sted er Kefisos' udmunding, og nabo til den er en frodig slette, som kaldes Hestesletten.

9 · Der er et andet sted ved Det skarpe Hjørne, som de kalder Boedria, også her siger de, at rørene gror godt. Det gælder i det hele taget, at hvor et sted er dybmuldet og har en frugtbar og dyndagtig jord, hvor Kefisos blander sit vand med jorden, og hvor der desuden er en fordybning i søen, dér gror rørene smukkest. Alt dette er tilfældet ved Det skarpe Hjørne og Boedria. De fremfører et bevis på, at Kefisos har stor indflydelse på, at rørene bliver smukke: Hvor den så-kaldte Sorte Flod løber ind, og søen er dyb og jordbunden god og dyndet, dér findes rørene enten slet ikke, eller også er de ringe. Nu må der være sagt tilstrækkeligt om aulosrørets vækst, natur og bearbejdelse, og om hvilke forskelle det har i forhold til andre rør.

10 · Men disse er ikke den eneste slags. Der findes flere andre arter af rør, der har let genkendelige forskelle ...

Kommentar

4.10.7-11.1 · Man bemærker Theofrasts brug af en slags ka-piteloverskrifter og faste overgangsformler, der gør det let-tere for læseren at orientere sig, når han ruller frem og til-bage i bogen. Formler af denne art i både HP og CP viser tyde-ligt Theofrasts overordnede plan med undersøgelsen.

Først får vi en ægte peripatetisk inddeling efter *diafora*; rør (*kalamos*) har to slags: 'fløjterør', *auletikos*, og en anden, der ikke har noget eget navn, men selv er *genos* for to under-inddelinger. Disse differentieres med to begrebspar, som vi kender fra metodeafsnittet i HP 1. De lokale har givet dem navne efter deres anvendelse: *charikias* til pæle og stakitter, *plokimos* til fletværk. *Genos* er tydeligvis ikke identisk med den linnæiske brug af ordet (*genus-species*), men kan bruges om enhver gruppe, uanset hvor i hierarkiet den befinder sig.

Det er også værd at bemærke, at gruppen 'rør' opfattes som naturlig og velkendt og hverken defineres eller relateres til en overordnet gruppe. Meddelerens oplysninger om lokale navne og inddelinger ordnes efter standardmetoden, men bearbejdes ikke i dette afsnit.

Rør skal have fast grund under fødderne, men her som i HP 4.12.4 omtaler Theofrast 'flydende øer', dvs. ansamlinger af rådnende plantemateriale, der kan danne grobund for andre planer. Theofrast angiver de største i Kopaissøen til tre stadier i omkreds, mens andre i Ægypten skal være så store, at man kan gå på vildsvinejagt på dem.

4.11.2-3 · Den peripatetiske naturvidenskabsmand (Theofrast eller rapportøren?) korrekser meddelerne, der uden tvivl er aulosmagerne eller deres underleverandører ude ved søen. De kan ikke skelne *accidens* fra *essens* i deres i øvrigt korrekte beskrivelse af rørenes periodiske vækst. Oplysningen om slaget ved Chaironeia i 338 og den senere pest giver en fornemmelse af, at interviewet må være foretaget nogle vækstsæsoner senere. Suzanne Amigues har en længere note om dette sted i relation til andre oplysninger om datoen for slaget ved Chaironeia, formentlig 2. august 338. Hun opfatter pesten som et resultat af nederlaget og slutter, at vandstandsstigningen derfor må skyldes regnskyl samme efterår. Denne tolkning synes jeg ikke, at teksten kan bære. Der er mig bekendt ingen beretninger om en pestepidemi i forbindelse med slaget (Philip opførte sig jo yderst civiliseret og lod de døde soldaters aske sende til Athen), og *loimos*, 'pest', er ingen veldefineret epidemisk sygdom. Såvidt jeg kan se, har folkene ved søen berettet om to forskellige begivenheder: (1) i 338, hvor rørene var fine og (2) senere under en lokal epidemi, hvor vandstanden igen steg, men ikke holdt sig længe nok. – Er det mon i øvrigt en tilfældighed, at den makedonervenlige peripatetiker omtaler 'Grækenlands skæbnetime' så diskret som 'begivenhederne ved Chaironeia'?

Herefter følger en nøje – og i musikhistorien stærkt omdiskuteret – beskrivelse af rørenes anvendelse ved fremstillingen af blade til *auloi*, som vi tradionelt oversætter med 'fløjter', men som ikke har meget med den moderne tværfløjte at gøre. Det nærmeste, man kommer en moderne fløjte, er en panfløjte, *syrinx*. Den særlige slags rør til denne omtales i HP 4.11.10. Normalt består en klassisk aulos (eller diaulos) af to rør af ben, træ eller rør, hver med fire huller på oversiden og ét på undersiden (til overblæsning som på en blokfløjte) og et mundstykke med (for det meste) to rørblade som på moderne oboer. Det klassiske værk til forståelsen af antikke fløjter er Kathleen Schlesinger: *The Greek Aulos*, 1939; se også Barker 1984, s. 186-189.

Theofrasts kilde omtaler tilsyneladende kun fremstillingen af disse dobbeltrørblade. Som i nutiden lavede græske hyrder skalmejer af rør, hvor mundstykket og selve fløjten blev skåret i ét stykke, ligesom ved pile- og hyldefløjter. Professionelle auleter spillede derimod på auloi med udskiftelige blade som i nutidens oboer og fagotter.

'Dobbeltrørblad' er en oversættelse af (*kalamos*) *zeugites*, altså det rør, der går i spand; mundstykket kaldes under ét *zeugos*, og de to vibrerende blade kaldes *glottai*, 'tunger'. *Kalamos bombykias* er tilsyneladende kun belagt her; *bombyx* betyder en puppe og betegner en dybere klingende aulos – der er tydeligvis tale om håndværker- og musikerjargon. Forklaringen på rørenes forskellige anvendelsesmuligheder må ligge i deres varierende elasticitet og evne til højfrekvente svingninger. Theofrast vender tilbage til spørgsmålet i næste afsnit.

I bemærkningerne om aulosrørets udseende optræder desuden et udtryk, som er overtaget fra den folkelige brug af inddelingen hanlig/hunlig (se side 69ff): De lyse, ranke og mere kødfulde planter kaldes hunlige, de mørke, krogede og seje er hanlige. Hertil kommer så en innovation: den interne

aulosmagervits om eunukrørerne. Mens pæle- og fletterør
overhovedet ikke interesserer meddeleren, har han forhørt
sig om alle detaljer vedrørende fremstillingen af rørbladene.
Det kan kun have én forklaring: Oplysningerne kunne tæn-
kes brugt til noget andet, det være sig undersøgelser af
vedstruktur, harmoniske svingninger eller musikkens psyko-
logi. Fragmenterne af Theofrasts enorme produktion viser, at
han skrev om disse emner (FHSG nr. 714-726).

4.11.4-5 · Theofrast bruger normalt den attiske kalender, hvis
første måned Hekatombeion begynder ved solhverv i slut-
ningen af juni, men især i HP føjer han ofte en astronomisk
baseret paralleldatering til. Dette skyldes muligvis, at kilden
har benyttet sig af en lokal kalender (se nærmere i Einarson
& Link I s. xlvi-lix). Stjernen Arkturos står op lige før solop-
gang i begyndelsen af september, der omtrent svarer til må-
neden Boedromion. Skiroforion er den sidste måned i året.
    Hvordan man end skal forstå 'med og uden forsiringer
(plastis og aplastos)' må pointen være, at man efter Antigen-
idas (ca. 400-370) og hans ny spillestil havde brug for mere
elastiske blade, og derfor høstede man nu rørene midt på
sommeren, hvor cellevæggene i ledningsvævet og i barken er
mindre forveddede. Prokataulesis må være betegnelsen for
auletens 'opspilning' af instrumentet, ligesom vi kender det
fra moderne oboisters løb inden koncerten. De andre musi-
kologiske detaljer er stærkt omdiskuterede, og jeg kan ikke
give noget fornuftigt bud.

4.11.6-7 · Det er indlysende, at meddeleren ikke selv kan ha-
ve ventet et år på at observere processen, men baserer sine
oplysninger på fagfolkenes udsagn. Det vidunderlige ord
'mellemknæ': μεσογονάτιον (det findes kun her i den beva-
rede græske litteratur, internodium på botanikerlatin) er da

næppe heller en peripatetisk nyskabelse, men det ord, som mester brugte, da han skulle forklare den interesserede unge mand fra Athen, hvor snittet skulle lægges.

Når man husker på, at der kun med ca. otte års mellemrum groede rør af den nødvendige kvalitet, må rørbladsfabrikationen have været meget intens i disse og de følgende år. Et rørblad holder som bekendt ikke evigt og med den udbredelse, aulosen havde, må efterspørgslen have været stor, især hvis markedet strakte sig ud over Bøotien til Attika.

Fig. 6. På billedet ses et rørstykke med to knæ; mellemknæet er skåret op, så ledningsvævet er blotlagt. Af tegningen ses, hvorfor rørblade skåret midt mellem knæene har parallelt og derfor lige svingende ledningsvæv, mens rørstykkerne ved knæene har mere afbøjet ledningsvæv.

138

På vasemalerier kan man se, at hvis de to aulosrør ikke er lige lange, er det venstre længst. Det er derfor rimeligt at tolke Theofrasts ord som en bekræftelse på den almindelige opfattelse af, at venstre aulosrør gav lavere toner, og at de på en eller anden måde akkompagnerede højre rør.

Det fremgår klart, at aulosmagerne har deres favoritsteder, og at de anser Kefisos' vande for den vigtigste forudsætning for rørenes kvalitet. Denne tanke svarer helt til Theofrasts egen teori om biotopens indflydelse på plantens mulighed for at realisere sit potentiale, se ovenfor side 73ff. Beskrivelsen af aulosrørene slutter med en meget detaljeret gennemgang af stednavne, som meddeleren med det gentagne 'såkaldte' markerer som lokale.

Alt i alt bærer teksten præg af at være meget tæt på den oprindelige indberetning, selvom den er gengivet i akkusativ med infinitiv, og der ingen hiater er.

Planterne i havet ved Indien og mangroveskoven på Tylos HP 4.7.3-7 og CP 2.5.5

Indledning

Afsnittet bringes midt i en beretning om havplanter i de ydre have. Den omtalte flådeekspedition fandt sted i 325 og er beskrevet af Arrian i Anabasis og i Indika. Plinius citerer i 12. og 13. bog af Naturalis Historia Nearchos' beretning, som svarer til HP 4.7.3-6 (og til flere andre afsnit i HP 4, som han også bruger som kilde). Jacoby opfatter afsnittet som en *foreløbig udgave af den rapport, der ligger til grund for Arrians.[65] Theofrast nævner imidlertid selv (CP 2.5.5 neden-for) Androsthenes som kilde til nogle oplysninger. Andre (særligt HP 4.7.4 om mangroveskovene) synes at stamme fra Aristobulos.[66] I Wimmers index[67] omtales Tylos som to øer in mari rubro, 'i Det røde Hav', og in sinu arabico, 'i Den arabi-ske Bugt'. Det er uklart, hvorfor Wimmer forestiller sig to synonyme øer, ligesom det ikke fremgår, om Mare Rubrum er nutidens Røde Hav eller om det er brugt i den antikke betydning lig med Den persiske Havbugt. For det sidste taler Theofrasts egen sprogbrug, og Wimmer har måske ladet sig forvirre af den uheldige navneforandring. Der er næppe no-gen tvivl om, at der refereres til en og samme ø, og at rappor-ten stammer fra de samme mennesker.*

Havplanter

4.7.3 · Nogle fortæller (fra dengang Alexanders udsendinge sejlede tilbage fra Indien), at planterne i havet beholder en farve som tang, så længe de er i vandet, men når de bliver taget op og lagt i solen, bliver de på kort tid ligesom salt. Der vokser også (siger de) nogle stensiv, der af udseende ikke er til at skelne fra de ægte siv. Men de fortæller noget endnu mere ejendommeligt: Der er nemlig nogle træagtige planter med en farve som et kohorn, ru på grenene og røde i toppen. Brækker man dem af, går de i stykker, og hvis man kaster stykker af dem på ilden, bliver de ildrøde ligesom jern, men når de er blevet afkølet, får de den samme farve igen.

Mangroveskoven

4 · På de øer, som bliver indtaget af tidevandet, gror der (siger de) nogle store træer på højde med plataner eller de største popler. Når tidevandet kommer, hænder det, at alt andet bli-ver dækket, men grenene fra de højeste rager op, og på dem

fortøjede de deres skibe, og når det blev ebbe igen, på rød-
derne. Træet har blade ligesom laurbær, blomst som violer,
både i farve og duft, frugt som en oliven og tilmed meget
vellugtende. Træerne taber ikke bladene; blomst og frugt
fremkommer om efteråret og falder af om foråret.

5 · Der er (siger de) også andre træer i selve havet, der er
stedsegrønne og med en frugt ligesom lupiner.

Rapport fra Karmanien

I Karmanien i Persien, hvor der findes tidevand, er der nogle
velvoksne træer, der ligner *andrachne* både i form og i blade.
Den har megen frugt, der i farve ligner mandler udenpå, men
indeni er sammenfiltret, som om den hang fuldstændig sam-
men. Disse træer er allesammen ædt op af havet indtil mid-
ten og står på rødderne, ligesom en blæksprutte. Det kan man
nemlig iagttage ved ebbe.

6 · Der er overhovedet ikke ferskvand på dette sted, men
der er nogle kanaler tilbage, som de sejler rundt på; de er
fyldt med havvand. Nogle mener også, at det herved er klart,
at træerne lever af det og ikke af ferskvand – med mindre de
trækker det op af jorden med rødderne. Det er rimeligvis og-
så brakvand, for rødderne går ikke særlig dybt. I det store og
hele (siger de) er de én slags planter, de der både gror i havet
og på de områder, som tidevandet indtager, for planterne i
havet er både små og tangagtige, de på land er store, grønne,
med en vellugtende blomst og en frugt som en lupin.

Rapport fra Tylos

7 · På øen Tylos, som ligger i den arabiske bugt, er der (siger
de) en sådan mængde træer på østsiden, at øen ligefrem er
indhegnet, når tidevandet går ud. De er alle på højde med
figentræer, blomsten er overordentlig vellugtende, frugten

er uspiselig, med et udseende som en lupin. Øen har også mange uldbærende træer. De har et blad næsten som vin, men mindre, og har ingen frugt. Det, som ulden er i, er på størrelse med et 'forårsæble', når det er lukket. Når det er modent, åbner det sig og skubber ulden ud. Heraf væver man fint lærred, noget er billigt, andet er meget dyrt.

8 · Denne plante gror også i Indien, som sagt, og i Arabien. Der er også andre træer (siger de) med blomster som gyldenlak, bortset fra, at de er duftløse og fire gange så store som gyldenlak. Der er også et andet træ med mange <kron>blade ligesom rosen; det lukker blomsterne om natten, og ved solopgang åbner det dem igen. Ved middag er de fuldt udfoldede, men ved solnedgang folder det dem sammen lidt efter lidt og lukker dem til natten. De indfødte siger, at træet sover. Der findes også daddelpalmer, vin og andre frugttræer, bl.a. figentræer, som ikke taber bladene. Der forekommer nedbør, men de bruger det ikke til afgrøderne. Der er imidlertid mange kilder på øen, som de vander med, og det gavner både kornet og træerne. Når det har regnet, leder de dette vand ud, som om de ville vaske det første vand ud.

Så mange omtrent er træerne i det ydre hav – i hvert fald dem, der er observeret indtil nu.

Det følgende afsnit stammer fra CP *og er taget fra en længere behandling af jordbundens og vandets indflydelse på vækst og afgrøder. Der har i de tidligere paragraffer været flere hentydninger til mangroveskoven og verbale overensstemmelser med* HP *4.7.3ff.*

CP **2.5.5** · Havvand er altså godt for disse planter af den nævnte årsag. Hvis det er sandt, hvad Androsthenes fortalte om planterne på øen Tylos i Det røde Hav [dvs. at tidevand er

Fig. 7. Denne aftegning efter Warming viser et typisk mangrovetræ med ånderødder, der udgår højt oppe fra træets grene.

bedre end vand ovenfra, selvom det er salt, både for træer og alt andet, og at de også vander med det, når det har regnet], så må man vel regne det for en tilvænning, for vane er her nærmest blevet til natur. Det er sådan, at regnvandet er sparsomt, men både træer, korn og andre planter får deres næring fra tidevandet. Derfor sår de også på alle årstider. Dette være sagt ud fra den forudsætning <,at oplysningerne er korrekte>.

Kommentar

Som teksten fremstår, synes den at stamme fra én lang rapport skrevet af de samme mennesker, men både Plinius' og Arrians henvisninger til andre kilder tyder på noget andet.

Teksten står som et referat, citeret i akkusativ med infinitiv; dog er der også mindre stykker i direkte tale (HP 7.4.5-6). (Se fig. 7).

Rapporterne (eller udtogene af dem) er selektive: Kun det anderledes er medtaget. Rapportørerne synes at være peripatetisk skolede (i hvert fald svarer de på alle de spørgsmål, som Theofrast ville stille); deres rapport er stort set deskriptiv, også i forbindelse med former for trævækst, der må virke højst besynderlige og meget fremmedartede på en græsk iagttager. Det mærkelige forhold omkring vandingen af planterne på Tylos har dog fremkaldt en tolkende kommentar fra rapportøren (HP 4.7.6). Man bemærker endvidere, at der er økonomiske oplysninger i rapporten (lærredproduktionen i HP 4.7.7). Flere steder må der i den oprindelige rapport have stået 'vi', fx i forbindelse med fortøjningen af bådene på træernes rødder og toppe.

Omtalen af rapporten i CP er kun forståelig for læseren, hvis HP-teksten tages med. Dette svarer ganske nøje til det tidligere citerede eksempel med det mobile træ i Antandros og er endnu et indicium på en bagvedliggende rapport, hvorfra oplysningen er hentet. CP-afsnittet er i øvrigt et godt eksempel på Theofrasts egne kommentarer til oplysningernes pålidelighed; samtidig er det typisk for en *aitia*-fremstilling, hvor overordnede begreber som 'tilvænning' og 'natur' og overgangen mellem dem bliver bragt på bane.

Rapporter om røgelsesproduktionen i Arabien HP 9.4

Indledning

Følgende oversigt viser strukturen i HP 9.4, som indeholder otte brudstykker af rapporter:

9.4.1 Theofrast introducerer emnet: træer og røgelse fra Arabien
9.4.2-3 libanos og smyrne (røgelse og myrrha) beskrives af en anonym (1). Midt i beskrivelsen skiftes til indirekte tale
9.4.3-6 (2) indirekte tale, nogle græske søfolk ca. 325
9.4.7-8 (3) indirekte tale, anonym
9.4.8 Theofrast påpeger uoverensstemmelser mellem (2) og (3)
9.4.8 (4) indirekte tale, anonym
9.4.8 (5) indirekte tale, Antigonos' skibsbyggere
9.4.9 Theofrast diskuterer oplysningerne og foretrækker dem, der står i (2) med henvisning til den følgende:
9.4.9 (6) om røgelse fra Sardes, anonym, direkte tale

Hertil kommer endnu to anonyme rapporter (7-8) om rø-
gelse i Arabien. De kan meget vel være identiske med en af
de forrige. De er skrevet i direkte tale.

For at vise lagene i teksten er indirekte tale rykket ind til
højre i forhold til den overordnede tekst.

Theofrasts indledning

9.4.1 · Med hensyn til røgelse, myrrha, balsam og lignende
fremkommer det som nævnt dels ved indsnit <i barken>,
dels af sig selv.

Vi skal nu forsøge at sige, hvordan disse træers natur er,
og hvorvidt der er noget særligt ved dens (gummisaftens)
tilblivelse, opsamling eller andet. På samme måde som ved
andre duftende planter: De fleste af dem kommer nemlig og-
så fra steder i syden eller østen.

2 · Røgelse, myrrha, kassia og kardemomme findes på den
arabiske halvø ved Saba og Adranyta, Kitibaina og Mamali.
Røgelses- og myrrhatræer gror dels i bjergene, dels i private
plantager for foden af bjergene, hvorfor nogle træer er dyr-
kede, andre ikke.

De siger,

(1) Anonym rapport fra Saba

at bjerget er højt, træbevokset og udsat for sne, og at der
løber floder fra det ned på sletten. Røgelsestræet er ikke
stort, omkring fem alen og med mange grene. Det har et
blad svarende til pæretræets, bortset fra at det er meget
mindre og har en meget græsgrøn farve, ligesom rude.
Det har glat bark ligesom et laurbærtræ.

3 · Myrrhatræet er endnu mindre i størrelse og mere
buskagtigt, men det har en hård stamme, og er snoet ved

jorden og tykkere end et lår. Det har en glat bark ligesom et jordbærtræ.

(2) Rapport fra nogle græske søfolk
Andre, som påstår at have set det, er nogenlunde enige i det med størrelsen:

> Ingen af disse træer er nemlig store, men myrrhatræet er det mindste og lavest voksende. Men røgelsestræet har et laurbærlignende blad og er glatbarket. Myrrhatræets blad er derimod tornet og ikke glat. Det har et blad, der svarer til elmens, bortset fra at det er krøllet og tornet ligesom kermesegens blad.

4 · Disse mennesker sagde, at de på den rejse, de foretog langs kysten fra Heroernes Bugt, gik i land for at lede efter vand på bjerget og på den måde kom til at se træerne og indsamlingen:

> På begge træer havde både stamme og grene indsnit, men mens stammerne så ud, som om de var blevet hugget med en økse, havde grenene finere indsnit. Tåren (gummisaften) dryppede somme tider, andre gange blev den hængende på træet. Nogle steder var der nedenunder lagt måtter af palmeblade, andre steder var jorden bare gjort lige og ren. Røgelsen lå på måtterne og var ren og klar, det som blev samlet op på jorden i mindre grad. Røgelsen, der blev hængende på træerne, skrabede de af med nogle jern, og derfor fik de også noget bark med.

5 · Hele bjerget tilhører sabæerne, de er dets besiddere, og de er retfærdige over for hinanden; derfor er der ingen som holder opsyn.

Derfor, sagde søfolkene, tog de rigeligt af den ubevogtede røgelse og myrrha med sig til skibene og sejlede af sted.

Disse folk fortalte også en anden ting, som de sagde, de havde hørt,
nemlig at al myrrha og røgelse bliver samlet alle steder fra i en helligdom for Solen. Dette er sabæernes allerhelligste helligdom på de kanter, og nogle bevæbnede arabere bevogter det.

6 · Når de har bragt det derhen, lægger alle hver sin myrha i en bunke og efterlader det til vagtene. Oven på bunken lægger de en lille tavle, hvorpå der står, hvor mange mål der er og den pris, hvert mål skal sælges for. Når så købmændene kommer, ser de på prislisterne, og når der er en bunke, der passer dem, måler de den op og lægger prisen på det samme sted, hvor de tog røgelsen. Så kommer præsterne og tager en tredjedel af prisen til guden; resten lader de ligge dér, og dette bliver liggende i god behold, indtil ejerne kommer og henter pengene.

(3) Anonym rapport
7 · Nogle andre siger,

at røgelsestræet ligner mastikstræet, og at dens frugt ligner mastiksfrugter, og at bladet er rødligt. Røgelsen fra unge træer er mere hvid og lugtsvag, mens den fra træer over deres bedste alder er mere gullig og velduftende. Myrrhatræet ligner terpentintræet, men er mere ru og tornet, bladet er lidt mere rundt i det, og hvis man tygger det, er smagen som ved terpentintræ. De gamle træer er også mere velduftende.

148

8 · Begge træer gror det samme sted, men jorden er leret og skorpet, og der er få.

Dette er imidlertid i modstrid med, at det skulle sne og regne, og at der skulle være floder.

Der er på den anden side også andre, der siger, at

(4) Anonym rapport
træet er næsten ligesom terrpentintræet,

(5) Antigonos' skibsbyggere (eller anonym?)
og nogle siger, at

> det simpelthen er terpentintræet. For der blev leveret noget tømmer til Antigonos af de arabere, der bringer røgelse med, som overhovedet ikke var forskelligt fra veddet fra terpentintræ.

Theofrasts vurdering
Disse mennesker gjorde sig dog skyldige i en anden og endnu større misforståelse. De troede nemlig, at der kommer både røgelse og myrrha fra samme træ.

9 · Derfor er den rapport (*logos*), som stammer fra dem, der sejlede fra Heroernes by, mere troværdig,

(6) Anonym rapport fra Sardes
> for det røgelsestræ, som gror oven for Sardes i en særlig helligdom, har et laurbærformet blad – hvis man på nogen måde kan lægge vægt på det. Der kommer røgelse både fra stammen og fra grenene, og når det blive brugt ved ofringer, er det både i udseende og lugt ligesom anden røgelse.

Dette er det eneste, som ikke kan kultiveres.

(7) Anonym rapport
røgelsestræet er hyppigere forekommende i Arabien, men smukkere på de omliggende øer. Der kan man forme udflåddet fra træerne i en hvilken som helst facon.

Theofrasts vurdering
Det er måske ikke så utroligt, for man kan lave indsnittet, hvor man vil.

(8) Anonym rapport
Nogle af klumperne er meget store, så store, at de kan fylde en hånd og veje mere end en tredjedel mine (dvs. 100-150 gram). Al røgelse leveres ubearbejdet, og af udseende ligner det bark. Noget myrrha er flydende, andet formet.

Den bedste slags myrrha kontrolleres ved smagen, og ud fra den tager man så det med samme farve.

Dette er sådan nogenlunde, hvad vi indtil nu har hørt om røgelse og myrrha.

Kommentar

Theofrast bruger i hele afsnittet det joniske navn for myrrhatræet: *smyrne;* måske stammer ordet direkte fra rapporterne. I oversættelsen har jeg brugt det almindelige ord 'myrrha', som optræder andre steder i HP og CP.

Det er ikke til at se af teksten, hvor mange rapporter de otte fragmenter stammer fra, men i hvert fald de første fire synes at være selvstændige indberetninger med forskellige, delvis modstridende oplysninger. Rapport (2) er den længste og mest informationsrige. To gange omtales rapportørerne som 'de der sejlede fra Heroernes Bugt'. I HP 4.7.2 nævnes stedet igen: 'I den såkaldte Heroernes Bugt, hvorfra folk udskiber sig (καταβαίνουσιν) fra Ægypten, vokser der ...', dvs. Suezbugten. Amigues har en længere note til HP 4.7.2, hvori hun ganske rigtigt identificerer de mennesker, der udskiber sig som grækere (og ikke ægyptere, som alle oversættelser siden renæssancen har gjort). Derimod tror jeg ikke, at der er tale om samme kilde til HP 4.7.2 som til rapport (2). Dels omtales udskibningen som noget, der foregår nu (præsens), det vil formentlig sige under Ptolemaios I, mens rapport (2) er i præteritum og handler om en enkeltbegivenhed, formentlig under Alexandertoget. Amigues forsøger[68] at identificere rapportøren med Anaxikrates, en af Alexanders flådeofficerer, hvis rapport omtales af Strabon (16.4.4). Muligheden foreligger. Mere interessant er det, at hvis Strabon og Arrian flere århundreder senere har haft adgang til rapporter fra disse ekspeditioner, må rapporterne have været offentligt tilgængelige og være overleveret uafhængigt af Lykeions arkiver – hvis de da overhovedet primært var beregnet på Lykeion, sådan som man efter Bretzls undersøgelser om *der Alexanderzug* almindeligvis antager.

Beretningen om søfolkenes oplevelser på den arabiske kyst har noget eventyrligt over sig og minder med sine tekniske, religionshistoriske og etnografiske detaljer på mange måder om Herodot.

Antigonos' skibsbyggere (5) – eller hvem der end har givet oplysningerne – giver Theofrast ikke meget for i sin vurdering. Bemærkningen om, at 'de troede, at der kommer både røgelse og myrrha fra samme træ' står der intet om i rapportfragmentet, og kritikken må derfor gå på en udeladt del af rapporten. Se også Raven 2000, s. 17f.

Liste over de steder i HP og CP, hvor Arkadien omtales

Indledning

De følgende 26 korte citater er hentet rundt om i HP og CP og registrerer samtlige omtaler af planter og træer, hvori Arkadien, arkader eller arkadiske lokaliteter optræder.[69] Hvis peripatetikerne arbejdede, som jeg har skitseret ovenfor, er det nærliggende at forestille sig, at listens 26 eksempler stammer fra én eller flere rapporter fra Arkadien, og at Satyros er ansvarlig i hvert fald for en del af oplysningerne. Som før nævnt er Arkadiens egetræer ikke indarbejdet i hovedafsnittet om ege i HP 3.8, og mange andre oplysninger i HP og CP kan for så vidt stamme fra de hypotetiske rapporter, blot uden angivelse af lokalitet. Det er derfor ikke muligt at rekonstruere rapporterne fuldstændigt, men de mange og meget forskelligartede oplysninger bestyrker opfattelsen af, at rapporterne har indeholdt et meget blandet materiale.

De arkadiske eksempler understreger Theofrasts (eller snarere rapportørens) interesse for dialektord, som det også fremgik af HP 3.8. I listen angiver stjerne [*], at det pågældende ord kun findes hos Theofrast eller kun findes i denne betydning hos ham. Ved hver plantegruppe er der først angivet de græske navne, dernæst de moderne botaniske forsøg (Hort, Senn, Amigues) på at identificere planterne. De fleste forsøg må betegnes som ret sikre.

Vor mand i Arkadien

1 · HP 3.12.4: [om forskellige 'cedertræer', *kedros, arkeuthos, oxykedros*] Efter hvad arkaderne siger, har træet tre slags frugter på én gang: sidste års endnu ikke modne frugt, forrige års, som nu er moden og spiselig, og så sætter den sin nye frugt. Satyros fortalte, at skovhuggerne fra bjergene (*oreotýpoi*) bragte ham begge slags uden blomster. (se også **22**).

2 · HP 4.1.3: På bjergtoppe og på kølige steder gror **thyia* ('offer-ceder') op til en vis højde; ædelgran og *arkeuthos* vokser der også, men når ikke så højt op som fx på Kyllenes top. (Parallel i HP 3.2.5).

Eg
fellodrys (Quercus ilex var. agrifolia, dorisk: **aria*) en art steneg
prinos (Quercus coccifera)
drys (Quercus rubor) løvfældende som vores eg
*smilax (Quercus ilex typica) en art steneg

3 · HP 1.9.3: [liste over stedsegrønne løvtræer] ... og den, som arkaderne kalder *fellodrys*.' (Parallel i HP 3.3.3).

4 · HP 3.16.2: Det træ, som arkaderne kalder *fellodrys*, har denne natur: For at sige det enkelt, så er den en mellemting mellem *prinos* og *drys*. Nogle antager også, at den er en hundrys. Hvor *prinos* ikke gror, bruger de derfor dette træ til vogne og den slags, fx i Lakedaimon og i Elis. Dorerne kalder faktisk træet *aria*. Det er blødere og løsere <i veddet> end *prinos*, men hårdere og tættere end *drys*. Bladene ligner dem begge, men det har større blade end *prinos* og mindre end *drys*. Det har en frugt, der er mindre i størrelse end *prinos*', men lig med de mindste agern <fra *drys*>, og den er sødere end *prinos*, men bitrere end *drys*. Nogle kalder *prinos*' og denne <*fellodrys*'> frugt for *akylon*, men *drys*' for *balanon*. Træet har et kerneved (*metra*), som er tydeligere end på *prinos*. *Fellodrys* har denne natur.

5 · HP 3.16.2: Folk i Arkadien kalder et bestemt træ for *smilax*, som ligner *prinos*, men det har ikke tornede blade, men glattere og tykkere og med flere forskelle. Veddet er heller ikke som hos det andet træ hårdt og kompakt, men blødt at bearbejde.

6 · HP 3.4.6: Folk i Arkadien siger også, at *prinos* modner på et år, for sidste års frugt bliver moden samtidig med, at den sætter den ny frugt.

Røn
oa (Sorbus domestica)

7 · HP 2.7.6-7: [midler mod træer, heriblandt figen, som ikke bærer frugt] Foruden rodbeskæring drysser de aske rundt om figentræet og skærer mærker i stammerne, og de siger, at så bærer træet bedre. På mandeltræerne slår de en jernpløk ind, og når de har lavet et hul, sætter de en anden pløk af egetræ i og dækker den med jord. Nogle kalder dette for 'at straffe' træet, fordi det er for yppigt (*hybrizon*). Noget tilsvarende gør nogle folk også ved pære- og andre træer. I Arkadien kalder de det for at 'rette op på' (*euthynein*) en røn: Dette træ er nemlig meget hyppigt hos dem. Og de siger, at når træerne har været udsat for det, bærer de ufrugtbare træer frugt, og de, der ikke ville modne deres frugt, modner den smukt.

Pil, elm, sortpoppel
pil: *itéa* (Salix spp.) arkadisk: *helíke*
elm: *ptelén* (Ulmus glabra)
sortpoppel: *aigeiros* (Populus nigra)

8 · HP 3.1.2: [om formering ved rodskud og/eller frø] De, som har både frø og frugt, spirer også frem af dem, selvom de også skyder fra roden. De siger nemlig, at de træer, der ser ud til at være uden frugt – som elm og pil – også formerer sig <ved frø>. Som bevis nævner de ikke blot, at på de steder, hvor de findes, vokser mange træer uden forbindelse med rødder <fra andre træer>, men også hændelser, de har observeret, fx i Feneos i Arkadien, da de underjordiske kanaler (dvs. katavothrene) var brudt sammen, og der havde samlet sig en mængde vand på sletten, og vandet så brød igennem igen. Tæt ved stedet, hvor der havde groet pile, siger de, at der året efter udtørringen igen groede pil frem, og hvor der før havde været elm, groede elm frem, ligesom der kom fyr og ædelgran, hvor de havde været – næsten som om pil og elm efterlignede de andre. Parallelsteder: CP 5.14.9 og HP 5.4.6 (se nedenfor, nr. 12).

9 · HP 3.13.7: Folk i Arkadien kalder ikke dette træ for *itéa* men for *helíke*. De mener som sagt også, at det har en spiredygtig frugt (*karpós gónimos*).

HP 3.3.4: ... Alle andre træer er frugtbare. Vedrørende pil, sortpoppel og elm er de som sagt uenige. Nogle mener, at kun sortpoplen er ufrugtbar, fx folk i Arkadien, mens alle andre træer i bjergene bærer frugt. Men på Kreta er der flere frugtbare sortpopler. En af dem står i indgangen til hulen i Idabjerget, og der hænger offergaver i den ...

Ædelgran og fyr
ædelgran: *eláte* (Abies cephalonica)
fyr: *peuke* (Pinus spp.)
aleppofyr: *pitys* (Pinus halepensis)

10 · HP 3.6.4: [om træer med dybtgående og højtliggende rødder] Det sker for alle træer, som ikke har dybe rødder – og ikke mindst ædelgran og fyr – at de rykkes op med rode af storme. Sådan siger de i hvert fald i Arkadien, men på Ida-bjerget siger de, at ædelgranen har de dybeste rødder ...

11 · HP 4.2.1: [om stedets betydning for væksten] I Arkadien er der i hvert fald omkring det sted, der hedder Krane, et område, der ligger lavt og uden vind; de siger også, at solen aldrig når derind. På dette sted er ædelgranerne helt anderledes både i højde og i tykkelse, men alligevel er de hverken tætte eller smukke, slet ikke – det er fuldstændig som fyr på skyggefulde steder. Derfor bruger man dem ikke til kostbart arbejde, såsom døre og andet fint arbejde, men hellere til skibsbygning og til huse.

12 · HP 5.4.6: De siger også, at hvis ædelgran bliver afbarket, lige inden den skyder, så rådner den ikke i vand. Dette (siger de) blev klart i Feneos i Arkadien, da hele deres slette blev til en sump, fordi udløbet brød sammen. Dengang var de nemlig ved at lave broer af ædelgran, og hver gang vandet steg, lagde de det ene lag oven på det andet. Da vandet så brød igennem og forsvandt, fandt man alt træet uden rådangreb. Denne <opdagelse> skete altså ved et tilfælde.

13 · HP 3.7.1-2: [om dannelsen af *callus* efter at et træ er blevet beskadiget] Der sker noget særligt ved ædelgran, når den bliver hugget over eller bliver beskadiget af vinden eller af noget andet på den glatte del af stammen (et stykke op har den nemlig en glat stamme uden sidegrene, egnet til en skibsmast), så gror den lidt rundt om, men ikke meget i højden, og dette kalder nogle for 'øgning' (*amfauxis*), andre for 'omvækst' (*amfifya*). Det har en sort farve og er utrolig hårdt, det laver man kratérer (blandingskar til vin) af i Arkadien. Tykkelsen svarer til, hvordan træet er, altså mere eller mindre styrke, svampethed (?) og tykkelse.

14 · HP 3.9.4: De [folkene på Ida] regner altså med disse slags fyr: den dyrkede, den vilde, og af den vilde den hanlige og den hunlige og en tredje uden frugt. Men i Arkadien siger de, at hverken den ufrugtbare eller den dyrkede er en fyr, men de siger, at det er en aleppofyr. For stammen ligner aleppofyrren meget og har den samme glathed og størrelse, og veddet er det samme ved forarbejdning. Fyrrens stamme er nemlig (siger de) tykkere, glattere og højere. Fyrren har mange glinsende, tætsiddende og nedhængende blade, hvorimod aleppofyrren og dette koglebærende træ har få og mere tørre og stive blade. De siger også, at tjæren ligner aleppofyrrens mere; og aleppofyrren har kun lidt og ram tjære, ligesom dette koglebærende træ, mens fyrrens er vellugtende og rigelig. I Arkadien er aleppofyr sjælden, men hyppig i Elis. Således er de (arkaderne) uenige i hele slægtsinddelingen.

15 · HP 3.9.3: [om *aigis, kerneveddet i fyr] Det er hun-fyrren, som har den såkaldte aigis. Dette er træets hjerte (enkardion). Grunden er, at det er mindre harpiksholdigt og mindre tjæreholdigt, glattere og med mere lige fibre.

16 · HP 3.9.7: [om *lousson, kerneveddet i ædelgran] Det bliver kompakt, hvidt og smukt i ældre træer. Den fine kvalitet er sjælden, mens den almindelige er rigelig. Af den laver man tavler til malerne og de almindelige skrivetavler. De finere bliver lavet af den bedre kvalitet. I Arkadien kalder de begge slags for aigis, både den i ædelgran og i fyr, og de siger, at ædelgranens er større, men fyrrens er smukkere. Ædelgranens er nemlig rigelig, glat og tæt, mens fyrrens nok er spar-

som, men alligevel mere kompakt, stærkere og i det hele ta-
get smukkere. Det ser altså ud til, at de (arkaderne) afviger i
de navne, de bruger.

17 · HP 4.16.4: Et træ går ikke ud (stort set), hvis 'livmoderen'
(*metra*) bliver fjernet. Beviset er de mange hule træer af en
vis størrelse. I Arkadien siger de, at træet lever en tid, men til
sidst går både ædelgran og ethvert andet træ ud, hvis det
fuldstændig mister sin 'livmor'.

Taks
milos
18 · HP 3.10.2: Hvad angår veddet, så er taksen fra Arkadien
mørk og rødlig, fra Ida er den gullig og meget lig cedertræ.

Platan
plátanos
19 · HP 4.13.2: De sagn, som mytologerne har viderebragt,
giver vidensbyrd om visse dyrkede og vilde træers høje alder:
Den nævner oliventræet i Athen, palmen på Delos, den vilde
oliven i Olympia, hvor kransen kommer fra, og egene ved
Ilion på Ilos' grav. Nogle fortæller også, at Agamemnon både
plantede platanen i Delfi og den i Kafyai i Arkadien. Hvordan
det hænger sammen, er måske nok en anden historie [eller:
hører til en anden forelæsningsrække?], men det er klart, at
der er meget stor forskel på træers alder.

Mistelten
ixía, arkadisk **hyféar*, eubøisk *stelis*
20 · CP 2.17.1: Det kan synes meget mærkeligt og helt forkert
og mod al sund fornuft, at nogle planter og frø ikke kan spire
i jorden, som fx *ixia, stelis* og *hyfear* (det første siger de på
Eubøa, hyfear i Arkadien; ixia er det almindelige) ...

Krydderurter og oliventræer

21 · HP 6.2.3-4: Sar (*thymbra*) og i endnu højere grad oregano (*origanos*) har et frugtbart, tydeligt frø, mens timians frø ikke er til at få fat på. Det er på en eller anden måde blandet op med blomsten. Det er den, man sår ud, og så spirer den. Folk i Athen, som vil eksportere denne urt, går ud og samler blomsten. Den har noget særligt både i forhold til disse og til næsten alle andre, og det gælder også voksestedet. De siger nemlig, at den ikke kan gro og slå an, hvor der ikke når et vindpust ind fra havet. Derfor gror den ikke i Arkadien. Sar og oregano og den slags er hyppige og gror overalt ... et tilsvarende fænomen gælder også oliventræet. Heller ikke det synes at kunne gro mere end 300 stadier fra havet.

Om frugtmodning

22 · HP 3.4.6: Folk i Arkadien siger også, at *prinos* modner på et år, for sidste års frugt bliver moden samtidig med, at den sætter den ny frugt. De siger også, at kristtornen (*kelastros*) taber sine frugter på grund af vinteren. Lind (*filyra*) og buksbom (*pyxos*) er meget sent modne. (Lind, hun-kornel og buksbom har en frugt, der er uspiselig for alle dyr. Både vedbend, fønikisk ceder, fyr og *andrachle* modner sent). Efter hvad de siger i Arkadien, findes der nogle endnu senere modne end alle disse: *tetragonia*, offerceder og taks.

Nogle medicinske planter

23 · HP 4.5.2: I Arkadien er der mange medicinplanter.

24 · HP 9.15.4-7: [liste over de bedste steder at samle lægeplanter i Grækenland; den arkadiske liste er langt den mest omfangsrige. Flere af plantenavnene kendes kun her, og identifikationen af andre er tentativ] På Pelion i Thessalien, på Telethrion på Eubøa, på Parnasset og endvidere i Arkadien og i Lakonien. Begge disse steder er nemlig gode til lægeplanter. Derfor plejer arkaderne også om foråret at drikke mælk i stedet for at indtage medicin, når saften i disse blade er stærkest; så er mælken nemlig også mest fyldt med medicin. De drikker komælk, fordi koen synes at være det dyr, der æder mest og er altædende. Hos dem (arkaderne) gror også begge slags brækrod (*helleboros*), både den hvide og den sorte; endvidere gulerod (?), en krokusgul plante med laurbæragtige blade og den, som arkaderne kalder vild kål, men nogle læger kalder *kerais*, og den, som de kalder katost, andre vild katost. Desuden slangerod, *seseli*, *hipposelinon* ('hestepersille'), *peukedanon* og *herakles-urten* og begge slags *strychnos*, den med den røde og den med den sorte frugt. Her gror også den vilde agurk, som man laver afføringsmidlet af, og *tithymallos*, som man laver [...] af og *hippofaes*. Den er bedst omkring Tegea, dér er den mest eftersøgt, og dér gror den godt, men den er rigeligst og smukkest i egnen omkring Kleitor. Panakia ('alheler') gror rigeligst og smukkest i den stenede egn omkring Psofis. *Moly* gror omkring Feneos og på Kyllene. De siger, at den er lig med den, Homer talte om: Den har en kugleformet rod som et løg og blade som en *skilla*. De siger, at den bruges som modgift og mod forhekselse, men at den ikke er svær at grave op, som Homer siger. Skarntyde er bedst omkring Lusoi ... (= **25**)

25 · HP 9.15.8 og 9.16.8 = Thrasyas fra Mantineia, se ovenfor s. 99ff.

26 · HP 9.13.4: [om rødder] Der er nogle af de søde rødder, der er ekstatiske, fx den der ligner *skolymos* ('guldtidsel'). De gror omkring Tegea, og det var dem, billedhuggeren Pandeios spiste, da han arbejdede i helligdommen og blev vanvittig.

7 · Theofrasts testamente

Filosofihistorikeren Diogenes Laërtius (3. årh. e.Kr.) biogra-
ferer i 5. bog de peripatetiske scholarcher og citerer Aristo-
teles', Theofrasts, Stratons og Lykons testamenter. Testa-
menterne regnes i den moderne forskning for ægte.[1] Theo-
frasts testamente (5.51-57) giver et indblik i situationen i
Lykeion i årene efter 300, hvor den gamle scholarch følte, at
tiden var inde til at træffe dispositioner for skolen, når han
ikke var mere. Det fremgår tydeligt af teksten, at Theofrast
ejer skolen og haven og selv kan beslutte, hvem der skal have
hvad. Derimod nævner han intet om sin efterfølger. En del af
de mange personer, som nævnes, kan identificeres (se fod-
noterne). Når man tager i betragtning, at der er tale om et
testamente, er det måske ikke så sært, at mange af dem er
beslægtede med Aristoteles og Theofrast, men man får alli-
gevel fornemmelsen af, at en stor del af Lykeions medlem-
mer på dette tidspunkt stammer fra scholarchernes egen fa-
milie.

51 · Alt vil gå vel, men hvis noget skulle indtræffe, bestem-
mer jeg følgende:[2] Al min ejendom derhjemme giver jeg til
Melantes og Pankreon, Leons sønner.[3] Jeg ønsker, at der ud af

---

1 Gottschalck 1972 har en fremragende gennemgang af testamenterne.
Se også Mejer 1998.

2 Trods denne formulars besværgende karakter må indholdet af den væ-
re: 'Jeg er på nuværende tidspunkt sund og rask, men da jeg er oppe i
årene, må jeg træffe mine forholdsregler.'

3 Disse personer må tilhøre Theofrasts nære familie og er måske hans

de midler, som er samlet hos Hipparchos,[4] skal ske følgende:
Først og fremmest ønsker jeg, at byggeriet ved musehel-
ligdommen[5] og statuerne af gudinderne blive gjort færdige –
og hvad der i øvrigt kan gøres for at forskønne dem. Jeg øn-
sker desuden, at portrættet af Aristoteles bliver opstillet i
helligdommen; det gælder også de andre statuer, som tidli-
gere stod i helligdommen. Endvidere, at den lille søjlegang
ved museet bliver genopbygget mindst lige så smukt som før.
I den nederste søjlehal skal tavlerne med kortene over Jorden
sættes op. **52** · Altret skal også repareres, så det kan blive helt
færdigt og pænt. Jeg ønsker også, at statuen af Nikomachos[6] i
naturlig størrelse bliver gjort færdig. Praxiteles[7] har fået be-
taling for modelleringen, og resten af udgiften skal tages fra
denne sum.[8] Den skal opstilles, hvor det passer dem, der tager
sig af testamentets øvrige bestemmelser. Disse betemmelser
gælder for helligdommen og statuerne.

Jorden, som jeg ejer i Stageira, giver jeg til Kallinos; alle

nevøer: Den ene søn har samme navn som Theofrasts far, og den barn-
løse Theofrasts bestemmelser gælder ejendom på Lesbos.

4 Hipparchos, som nævnes flere gange i det følgende, er måske økono-
misk rådgiver for Lykeion; far til Hegesias, som er et af vidnerne ne-
denfor. Han synes at være gået konkurs, da testamentet blev oprettet.
Det er uvist, om han er identisk med den Hipparchos fra Stageira, som
nævnes i Aristoteles' testamente (DL 5.12).

5 Helligdommen for muserne, *Museion*, lå inden for Lykeions område.
Teksten omtaler en del reparationer, som skal udføres. Da vi ikke ved,
hvornår testamentet er skrevet, er det svært at gætte på, hvad der me-
nes. Måske er der tale om reparationer af ødelæggelser som følge af
Demetrios Poliorketens belejring af Athen 307/306.

6 Aristoteles' søn, opdraget af Theofrast og død i en ung alder, muligvis i
en krig.

7 Denne Praxiteles er formentlig sønnesøn af den berømte Praxiteles,
hvis kunstneriske karriere lå mellem 375 og 330.

8 Theofrast må henvise til de midler, som Hipparchos forvalter.

bøgerne til Neleus;[9] haven og *peripatos*[10] og alle husene ved haven giver jeg til dem af mine anførte venner, som til enhver tid måtte ønske at studere og filosofere sammen dér (det er jo ikke muligt for alle mennesker at bo der fast hele tiden), **53** · men på den betingelse, at de ikke danner kliker, og at ingen enkeltperson lægger beslag på noget selv; de skal eje det i fællesskab som en helligdom og dele det mellem sig i fred og fordragelighed, som ret og rimeligt er.

Disse partnere skal være: Hipparchos, Neleus, Straton,[11] Kallinos, Demotimos, Demaratos, Kallisthenes, Melantes, Pankreon og Nikippos.

Hvis Aristoteles, søn af Meidias og Pythias,[12] måtte ønske at filosofere, skal han også have lov at deltage. De ældste skal

9 Neleus fra Skepsis, søn af Sokrates-eleven Koriskos, var en af Aristoteles' og Theofrasts gamle venner og medstuderende fra Akademiet. Neleus blev ikke (som Theofrast åbenbart havde håbet) udnævnt til leder af Lykeion, og han tog tilsyneladende sin arv med sig til Skepsis, da han var blevet vraget til fordel for Straton. Bemærkningen om bøgerne har som tidligere nævnt givet anledning til meget fantasifulde beretninger om bibliotekets skæbne. Se Chroust 1963 og Mejer 2000, s. 26ff.

10 Betydningen af *peripatos* er uklar. Gottschalck 1972, s. 333ff diskuterer ordets betydning og fremhæver, at den almindelige betegnelse for en søjlegang eller -hal er *stoa* og *stoïdion*; begge bruges ovenfor i testamentet. Hans konklusion er, at den traditionelle opfattelse af *peripatos* som en bygning er forkert, og at der snarere er tale om en skyggefuld allé i forbindelse med haven. Under alle omstændigheder fik institutionen sit navn efter dette anlæg, på samme måde som Akademos' lund og Stoa Poikile ('den bemalede stoa') gav navn til akademikerenes og stoikernes skole og Kepos ('Haven') gjorde det til epikuræernes.

11 Straton fra Lampsakos, scholarch 286-268.

12 Filosoffen Aristoteles' dattersøn, født i Pythias tredje ægteskab. Hendes ægtemands navn er i denne tekst overleveret som Medias, men rettes i mange udgaver til Metrodoros i overensstemmelse med Aristotelesbiografierne.

gøre sig al mulig umage for, at han gør så mange fremskridt i filosofien som muligt.

Jeg skal begraves det sted i haven, hvor det synes mest hensigtsmæssigt, og I skal ikke gøre noget særligt ud af graven eller af mindestenen. **54** · For at vedligeholdelsen af helligdommen, gravmindet og *peripatos* kan bevares efter min bortgang, skal også Pompylos[13] være tilsynsførende med det; han bor lige ved, og han skal tage sig af det som hidtil. De, der har med disse ting at gøre, skal tage sig af hans ve og vel.

Det er længe siden, at Pompylos og Threpte blev givet fri, og de har været mig til stor nytte. Alt hvad de har fået af mig tidligere, eller selv har erhvervet, og hvad jeg nu har tildelt dem gennem Hipparchos, nemlig 2.000 drachmer, det mener jeg skal være deres uden videre, således som jeg tit og ofte personligt har talt med Melantes og Pankreon om; og de var helt enige med mig. Jeg giver dem også den lille unge pige Somatale.

55 · Blandt mine slaver frigiver jeg Molon, Kimon og Parmenon nu. Manes og Kallias frigiver jeg, når de har været fire år til i haven og arbejdet sammen uden problemer. Af mine møbler skal mine eksekutorer give Pompylos, hvad de finder passende. Resten skal afhændes. Jeg giver Karion til Demotimos og Donax til Neleus. Euboios skal derimod sælges.

Hipparchos skal give Kallinos 3.000 drachmer. Hvis ikke jeg havde bemærket, at Hipparchos tidligere havde hjulpet Melantes og Pankreon og mig selv, og at han nu er gået personlig konkurs, ville jeg have udnævnt ham til eksekutor

---

13 Pompylos er Theofrasts gamle, frigivne slave. Iflg. Diogenes 5.36 'går også hans slave ved navn Pompylos for at være filosof'. Samme historie bringes hos Aulus Gellius 2.18. Måske har Pompylos fungeret som sekretær for Theofrast. – Threpte er sandsynligvis Pompylos' kone.

sammen med Melantes og Pankreon. **56** · Men jeg så, at de ikke havde let ved at administrere dette sammen med Hipparchos, og jeg mente derfor, at det var bedre, at de fik et engangsbeløb fra ham. Derfor skal Hipparchos give Melantes og Pankreon hver en talent. Hipparchos skal også dække eksekutorernes udgifter til bestemmelserne i testamentet på det rette tidspunkt for hvert udlæg. Når Hipparchos har ordnet disse pengesager, skal han være fri for enhver forpligtelse over for mig. Hvis Hipparchos har indgået nogen kontrakter i mit navn i Chalkis, er det Hipparchos' eget anliggende.

Eksekutorerne af disse bestemmelser i testamentet skal være: Hipparchos, Neleus, Straton, Kallinos, Demotios, Kallisthenes og Ktesarchos.

57 · Testamentet vil ligge som kopi signeret med Theofrasts segl: én kopi hos Hegesias Hipparchos' søn. Vidner herpå er Kallippos fra Pallene, Filomelos fra Euonymon, Lysandros fra Hybe, Filion fra Alopeke. Olympiodoros har den anden kopi; vidnerne er de samme. Den tredje kopi fik Adeimantos; Androsthenes den yngre bragte ham den. Vidner er Aeimnestos Kleobulos' søn, Lysistratos Fidons søn fra Thasos, Straton Arkesilaos' søn fra Lampsakos og Dioskurides Dionysios' søn fra Epikefisia.

8 · Konklusion

Disse undersøgelser har beskæftiget sig med en række mindre belyste forhold ved Theofrasts deltagelse i den plan om en fuldstændig undersøgelse af den fysiske verden, som hans lærer Aristoteles i 330erne f.Kr. påbegyndte i sin nyoprettede forskningsinstitution Lykeion i Athen, og som Theofrast i årene ca. 320-287 videreførte som Aristoteles' efterfølger.

Resultaterne kan samles i følgende punkter:

(1) De politiske forhold i 300-tallets Athen medførte, at Lykeion – eller Peripatos som institutionen ofte kaldes – under Theofrasts ledelse havde helt andre og bedre økonomiske og organisatoriske forhold end dem, Aristoteles arbejdede under. Desuden strakte undersøgelserne sig over en meget længere årrække. Denne kendsgerning sløres noget af, at det ikke er muligt at datere de enkelte delprojekter nærmere, og at forskningen fra Theofrasts periode som leder er meget dårligere bevaret og dårligere udforsket end Aristoteles'. Det betyder, at man ikke uden videre kan slutte fra forholdene i Lykeions tidlige historie til tiden under Theofrasts ledelse. Eksempelvis må Theofrasts botaniske forskning derfor studeres på sine egne præmisser og ikke ud fra analogislutninger fra Aristoteles' zoologiske forskning.

(2) Botanikken optog kun en lille del af Theofrasts studieområde, men da de to botaniske værker *Historia Plantarum* (HP) og *De Causis Plantarum* (CP) udgør størsteparten af det bevarede forfatterskab, har man ofte været tilbøjelig til først og fremmest at opfatte Theofrast som botaniker. Bøgerne har

både i oldtiden og i nutiden været læst som lærebøger og ikke
som det, de egentlig er: Åbne bøger, der rummer mere eller
mindre foreløbige forskningsresultater, systematisk ordnede,
men genstand for stadig redigering. Læseren er den skolede
peripatetiker og ikke en bredere kreds.

(3) Theofrast afviger ikke fra Aristoteles' forskningsmæssige
fremgangsmåde: En stor og stadig voksende datamængde
analyseres efter et veldefineret sæt begreber, som overføres
fra én videnskabsgren til en anden. Det fremtrædende over-
begreb er *diaforá*, dvs. forskellen mellem to eller flere ting,
der tilhører samme gruppe, og som derfor kan placeres i un-
dergrupper, der igen kan opdeles osv. Resultaterne indarbej-
des i to bøger eller bogsæt: En *historía* (undersøgelse) og en
aitía (årsagsforklaring) svarende til de to bevarede værker.
Undersøgelsen går principielt forud for årsagsforklaringen,
men de bevarede værker afspejler mange faser af revision,
der i sagens natur ikke kan være lige grundigt gennemført i
alle dele. CP synes dog at være det mest gennemarbejdede af
de to værker.

(4) I forhold til Aristoteles udvikler Theofrast en delvis ny
teori for beskrivelsen af planter, men ikke et færdigt hierar-
kisk system i planteverdenen, svarende til den aristoteliske
scala naturæ; han begynder derimod både forneden og for-
oven i systemet med henholdsvis beskrivelser af forskelle in-
den for en naturlig plantegruppe (egetræer, kornsorter, vin)
og flere alternativer til en overordnet inddeling. De to ender
mødes ikke på midten, og det er tvivlsomt, om Theofrast hav-
de forestillet sig at kunne opstille en sådan *scala* så tidligt i
den helt nye videnskabs liv. En manglende forståelse af hans
på én gang primitive og fleksible inddelingssystem har for-
ledt mange til at antage, at Theofrast stræbte mod at skabe et

linnæisk system 2000 år før Linné. Andre har uden forståelse for hans metodiske forsigtighed beskyldt ham for manglende evne til at træffe nødvendige terminologiske beslutninger.

(5) Både HP og CP indeholder mange citater; HP har flest. Nogle få af dem refererer til eksisterende litteratur, men flere hundrede omtaler kilden som 'nogle', 'arkaderne', 'skovhuggerne' og bruger andre kollektive betegnelser, der ikke kan stamme fra eksisterende litteratur, men må skyldes oplysninger, som disse grupper har meddelt nogen i Lykeion. Ud fra den antagelse, at arbejdsprocessen afspejles i bøgernes nuværende form, har jeg søgt at forklare citaterne og den hyppige anvendelse af den grammatiske konstruktion 'akkusativ med infinitiv' og tilsvarende sproglige markører for indirekte tale med, at citaterne afspejler en særlig videnskabelig metode hos peripatetikerne, som er mere tydelig i Theofrasts botaniske værker end hos Aristoteles.

(6) Theofrasts bøger er ifølge denne hypotese resultatet af en årelang indsamling og bearbejdning af materiale, der dels stammer fra eksisterende litteratur og fra Theofrasts egne iagttagelser, dels (og hovedsagelig) er leveret af bl.a. skolede rapportører udsendt fra Lykeion. Indsamlingen er foregået overalt i det egentlige Grækenland og mange andre steder i den beboede verden, bl.a. under Alexander den Stores erobringstogter. I nogle tilfælde har rapporten ikke sat sig spor i teksten, fordi dens oplysninger er blevet indarbejdet fuldstændigt, i andre er den mere eller mindre synlig. Synligheden skyldes ikke Theofrasts ønske om at kreditere andre for oplysningerne, langt snarere er de endnu synlige citater udtryk for en usikkerhed over for oplysningernes pålidelighed. En senere gennemskrivning af teksten ville formentlig have slettet flere af de nuværende spor, måske dem alle, men

nye oplysninger ville været kommet til og have sat sig nye spor.

(7) Begge værker bærer på den ene side præg af foreløbighed og fremhæver ofte nødvendigheden af mere forskning; på den anden side er de skrevet i et ganske velplejet sprog, vidt forskelligt fra Aristoteles' ofte knudrede og elliptiske notat-sprog. Dette er – sammenholdt med de mange og tydeligvis bearbejdede citater – et godt indicium på, at Theofrast har haft en anden sproglig standard end Aristoteles, og at han selv har redigeret teksten i den form, den er bevaret. Det kan ikke udelukkes, at der er sket en eller anden form for redige-ring efter Theofrasts levetid, ligesom der synes at være gået tekst tabt i overleveringen, men i det store og hele er den eksisterende tekst identisk med den, Theofrast efterlod sig mere eller mindre færdig.

(8) I nogle citater findes oplysninger, der direkte strider mod den peripatetiske opfattelse af planten og dens liv. Herved træder et andet interessant træk frem ved indsamlingsfor-men: Den skolede peripatetiker har måttet samle og bearbej-de stof, som han fik fra almindelige ulærde grækere. Ved at lytte til dem bliver den moderne læser klar over, at der i tek-sten skjuler sig en græsk botanik, der er helt anderledes end den, videnskabsmanden Theofrast er i færd med at afsøge; den stammer fra bøndernes, skovhuggernes, fiskernes og håndværkernes verden, hvor der gælder helt andre regler for plantelivet end i den fine, afklarede videnskab.

Jeg håber senere at kunne fremlægge en mere detaljeret re-degørelse for denne hypotese, der har vide perspektiver også for andre antikke forskeres arbejdsmetoder og for de resulta-ter, de nåede.

Appendix I

Tidstavle over vigtige begivenheder i Lykeions historie

År	Aristoteles (A)	Theofrast (T)	Politiske forhold
384	fødes i Stageira i Makedonien		Athen: demokrati Makedonien: Amyntas III Perdikkas III
372		fødes i Eresos på Lesbos	
367	i Platons Akademi i Athen	i Akademiet	
356			Filip II (356-336) Alexander fødes
347	efter Platons død bliver Speusippos scholarch. A forlader Athen og A og T bor hos Hermias i Assos		
345	A og T bor i Mytilene		
34?	A og T bor i Stageira		
343	Philip kalder A (og T) til Makedonien som Alexanders opdrager		
341			Hermias bliver dræbt
339	ved Speusippos' død nomineres A til scholarch men vælges ikke		

År	Aristoteles (A)	Theofrast (T)	Politiske forhold
338			slaget ved Chairo- neia: Philip erobrer Athen
336			efter mordet på Philip bliver Alex- ander konge
334-22	A og T i Lykeion i Athen		
323			Alexander dør
323/322	A og T flygter til Chalkis		oprør i Athen
322	Aristoteles dør		Athen igen make- donsk kontrolleret
318-286		T scholarch i Lykeion	
317-07			Demetrios af Phale- ron styrer Athen
307-01			Demetrios Poliorke- tes styrer Athen
301			athensk oprør
294-86			Demetrios Poliorke- tes generobrer Athen
287/286		T dør, og Stra- ton udnævnes til scholarch	

Appendix II

Nogle typiske Theofrastplanter

Selvom man skal være forsigtig med at identificere Theofrastplanter, er der dog mange – vel de fleste af de ca. 550 planter – hvis identifikation botanikerne er helt enige om. Det gælder især de træer og buske, som Theofrast bruger som typeplanter. De 16 farveplancher skal minde læseren om, at emnet for HP og CP findes lyslevende i store dele af Middelhavsområdet, nu ofte i konkurrence med senere indførte planter. Til hvert billede hører et Theofrastcitat, som i al beskedenhed skal illustrere, hvor mangfoldig og ofte uforudsigelig en tekst HP er, og hvor få emner denne bog har kunnet berøre.

I Fritstående nåle- og løvtræer

Nogle planter er ranke i væksten og har lange stammer, som fx ædelgran, fyr og cypres, andre er mere krogede og kortere i stammen, som pil, figen og granatæble. [HP 1.5.1]

II Leuke, *hvidpoppel*

Hvidpoplen og sortpoplen hører til samme gruppe; de er begge ranke i væksten, bortset fra at sortpoplen er meget højere, åben og glat, mens bladenes form er nærmest ens. Når veddet bliver skåret op, er det ens i hvidhed. Ingen af dem synes at have frugt eller blomst. [HP 3.14.2]

III Batos, *brombær*

Der er flere slags brombær, men den største forskel består i, at én gruppe har rank vækst og højde, den anden kryber langs jorden og bøjer nedad, og når den rører jorden, slår den rod igen; den kalder man jordbrombær. Hundebrombær (= vild-rose) har en rødlig frugt ligesom granatæble. Den er en mellemting mellem en busk og et træ, ligesom granatæble, og har tornede blade. [HP 3.18.4]

IV Prinos, *kermeseg*

Kermes har et blad svarende til egens, men det er mindre og tornet i spidsen; barken er glattere end egens. Selve træet bliver stort ligesom egen, hvis det har vokseplads og jordbund. Veddet er kompakt og stærkt. Det er temmelig dybrodet og mangerodet. Det har en agernagtig frugt, men agernet er lille. Den nye frugt overlapper den fra sidste år, for den modner nemlig sent; derfor siger nogle også, at den bærer to gange. Foruden agernet bærer den et purpurfarvet bær (en galle) og den har også egemistelten og mistelten, så det hænder, at den har fire frugter på samme tid, to af sine egne og to af de andre, både egemisteltenens og mistelenens. Den har egemistelstenen mod nord og mistelten mod syd. [HP 3.16.1]

IV

VI

X

XII

XIV

XVI

V Rhoa, *granatæble*

Indtil videre bør så meget stå klart, at der er adskillige for-skelle i alle plantens dele på mange forskellige måder. Således har nogle blomster dun, som vin, morbær og vedbend, mens andre har kronblade, som mandel, æble, pære og blomme. Nogle blomster er store, mens olivens er små, selvom de har kronblade. På samme måde hos de enårige og urteagtige: Nogle har kronblade, andre har dun. Alle er tofarvede eller ensfarvede. De fleste af træernes blomster er ensfarvede og hvidlige. Stort set kun granatæblets blomst er rød; nogle mandeltræer er rødlige. [HP 1.13.1]

VI - VII Kalamos, *rør*

Se side 136ff.

VIII Dafne, *laurbær*

Både formering ved en afreven kvist og frøformering er me-get almindelige hos alle <dyrkede planter>. For alle, som har frø, kan også komme af frøet. Man siger, at laurbær kan for-meres ved en afreven kvist, hvis man tager den fra de unge skud og planter den, men den skal have noget af roden med eller en hæl. [HP 2.1.3]

IX Paliuros, *paliurus*

Paliurus har også forskelle [...], men alle slags er frugtbare. Paliurus har frugten i en kapsel, nærmest som et blad, hvori der kommer tre eller fire frø. Lægerne støder dem og bruger dem mod hoste. Den har også en sejtflydende og fedtet sub-stans i sig, ligesom i hørfrø. Den vokser både nær vand og i tørre områder ligesom brombær. Den er løvfældende og ikke stedsegrøn som vrietorn. [HP 3.18.3]

X Itea, *pil*

Pil gror ved vand og har mange slags. Én kaldes sortpil, fordi den har en sort og rød bark, en anden hvidpil, fordi den har hvid bark. Den sorte har smukkere vidjer, der er bedre egnet til fletværk; den hvide har mere tørre vidjer. Både af den sorte og den hvide slags findes der en dværgform, som ikke vokser i højden, ganske som ved andre træer såsom cedertræ og palme. Folk i Arkadien kalder ikke træet *itea*, men *helike*; de tror som sagt, at pilen har frugtbart frø. [HP 3.13.7]

XI Dafne agria, *vild laurbær, oleander*

Der findes stedsegrønne og løvfældende træer. Blandt de kultiverede træer er der [...] blandt de vilde [...] vild laurbær. [HP 1.9.3]

XII Elaa, *oliven*

Som det sidste kommer i alle planter frøet. Dette indeholder en medfødt fugtighed og varme, og hvis de mangler, bliver frøene ufrugtbare ligesom æg. Hos nogle planter kommer frøet udmiddelbart efter det, der omslutter det, fx daddel, hassel, mandel (selvom der kan være mere end én ting, der omslutter det, fx ved en daddel); andre har kød og en sten imellem, som fx oliven og blomme og andre frugter. Nogle er i en kapsel, andre i en skal, andre i en beholder, andre igen er fuldkommen nøgne. [HP 1.11.1]

XIII Achras, *vild pære*

Vildformer bærer tilsyneladende mere frugt end de kultive-
rede former, som fx vild pære og vild oliven, men de kultive-
rede former bærer bedre frugt med sødere og behageligere og
i det hele taget bedre sammensat saft. [HP 1.4.2]

XIV Kittos, *vedbend*

Bladene på alle andre træer er ens, men på poppel, vedbend
og den såkaldte *kroton* er de uens og har forskellig form. De
unge er runde, mens de ældre er mere kantede, og forandrin-
gen går hos alle i den retning. På den anden side, mens ved-
bend er ung, er den mere kantet, mens den er mere afrundet,
når den bliver ældre; sådan forandrer den sig nemlig. [HP
1.10.1]

XV Ampelos, *vin*

Træer er også forskellige, hvad angår frugtsætning. Nogle
bærer frugt på de nye skud, nogle fra étårs skuddene, nogle
fra begge. Figen og vin bærer på de nye skud. [HP 1.14.1]

XVI Platanos, *platan*, ved Den kastaliske Kilde i Delfi

Se side 57 og 158.

Noter

1 'They called it philosophy and strove rather to stress the unity of knowledge than the separateness of its parts'. French 1996, s. xiii.

2 Aristotelesbiografierne er samlet og kommenteret i Düring 1957; Theofrasts biografi er kommenteret mange gange, se Sollenberger 1985, s. 44-62.

3 Historien fortælles bl.a. af Strabon 13.2.4 og Diogenes Laërtius 5.2.6; fuldstændig liste i FHSG nr. 5-7.

4 Travlos 1971, s. 345; Ritchei 1989; Lygouri-Tolia 2002.

5 DL 3.37; Wehrli 9. fr. 4 med kommentar. Navnene på en del af studenterne findes i FHSG nr. 18.

6 Chroust 1972.

7 Det grundlæggende studium af Aristoteles' værkers tilblivelse skyldes Werner Jaeger (1923). I forbindelse med Theofrasts botaniske værker er kapitlerne 7-13 særlig vigtige. Om Jaegers betydning for Aristotelesforskningen (men sært nok ikke for Theofrastforskningen) se Chroust 1963.

8 *Athenernes Statsforfatning* er oversat af Georg Mondrup (1938).

9 Rhodes 1993, s. 58-63. Tallet 158 stammer fra DL's liste over Aristoteles' værker.

10 Oversat af Henrik Haarløv 1963.

11 Se fx. Theofrasts liste over *diaforai* i HP 1.1.6-7, side 107.

12 Lloyd 1996 er en meget inspirerende introduktion til denne side af Aristoteles' forskning. Det er ganske karakteristisk, at Theofrast ikke omtales med ét ord i bogen.

13 Tortzen 1991, s. 89-93.

14 Samlet af Wimmer i 1838 og oversat af Meyer 1854, I, s. 94-146. Forkortelserne er de gængse latinske forkortelser for Aristoteles' værker.

15 Om begreberne *homøomér*, 'ensartet', og *anomøomér*, 'uensartet', se HP 1.1.12-2.2, side 110.

16 Oversigt i Sollenberger 1985, s. 59 n. 2.

17 Den nyeste oversigtsartikel om Theofrasts værker er Suzanne Amigues glimrende 'Les traités botaniques de Théophraste', Amigues 2002, s. 11-43.

18 En udmærket oversigt over tingenes tilstand findes i Amigues 2002, s. 45-54.

19 Düring 1957; Chroust 1963; Canfora 1991.

20 Keaney 1968.

21 Senns teorier udkom i en række artikler, men er samlet i et rektorats-program, som først blev udgivet i 1956; herimod Regenbogen 1937.

22 De følgende bemærkninger tjener først og fremmest til advarsel for dem, der læser Suzanne Amigues lidt for unuancerede fremstilling af problemet i indledningen. Pliniusstedet er i FHSG lidt overraskende placeret som nr. 599 under overskriften 'Political Writings', se også FHSG 413 nr. 52 og 59.

23 Dvs. den homeriske troldkvinde Kirkes ø, som Odysseus besøger i *Odysseens* 10. sang. Amigues I. 1988, s. XXI har en fin lille oversigt over de homeriske digte i HP og CP.

24 Se også NH 19.32: <Theofrast skrev> '390 år før os' og NH 15.1 'ca. 440 år efter byen Roms grundlæggelse'.

25 Wöhrle 1988 argumenterer overbevisende for, at det Theofrastfrag-ment, der kaldes for *De odoribus* (aftrykt i 2. bind af Horts Theo-frastudgave, se også FHSG nr. 430-434), er en del af denne tabte bog. Amigues I. 1988, s. XX mener, at værkerne er blevet til i denne ræk-kefølge: HP, CP, OD. Med hypotesen om den åbne bog in mente bliver spørgsmålet om rækkefølge dog af mindre betydning.

26 Mortimer 1981, s. 213ff.

27 Pellegrin 1986; godt resumé s. 159-166.

28 Sloan 1976 har en meget instruktiv gennemgang af 1700-tallets dis-kussion af begrebet genus-species.

29 Balme 1961.

30 Se side 5.

31 Meyer 1854, II, s. 159. Sammenlign også med irritationen hos Varro og Ruellius side 5 og kommentarerne i Wagner 2000, s. 175f.

32 Lenz 1859 er stadig et uundværligt opslagsværk, hvis man vil have et hurtigt overblik over de antikke forfatteres omtale af planter og deres anvendelse.

33 Jeg holder mig som nævnt langt væk fra det hvepsebo, der hedder 'identifikation af antikke plantenavne'. J.E. Raven leverer i den vel-skrevne *Lecture I: Unreliability of some Thiseltons-Dyer's Identifica-tions of Greek Plant Names* (Raven 2000, s. 5-10, 15ff) et vitriolsk angreb på Sir William Thiselton-Dyer (1843-1928), Keeper of Kew

Garden, hvis identifikationer af græske plantenavne blev standard både i Liddell-Scott-Jones' *Greek-English Lexicon* og i hans svigersøn Sir Arthur Horts oversættelse af Theofrasts HP. Ravens synspunkter deles til fulde af Amigues (1988, *passim*).

34 Ideen til denne fantasihave fik man (sidst Capelle 1954 og Raven 2000, s. 18) oprindelig fra bemærkningerne i testamentets §§ 54-55, men herefter fik den lov at leve sit helt eget liv og sætte mange skønne frugter.

35 Kirchner (1874 og mere eksplicit 1875, s. 451ff) forestillede sig, at Theofrast personligt rejste rundt (i bærestol: DL 5.37!) og indsamlede alle oplysninger.

36 Der findes endnu ikke et ordentligt register til HP og CP. Listen er derfor sammensat på baggrund af det tilgængelige materiale i Wimmer 1854 II.251-256; Einarson & Link 1976 I, s. xix-xiii; Amigues 1988 I, s. xx-xxx.

37 Se Pomeroy 1994, s. 41-67 og kommentaren til kapitel 16.1. Græsk landbrug og Theofrasts beskrivelse heraf er indgående behandlet i Isager & Skydsgaard 1992 *passim*, men særligt s. 19-66.

38 Se Amigues' note *ad loc*. Udlægningen af stedet *s.v.* 'Eileithyia', RE v.2 2104 er misforstået.

39 Raven 2000, s. 16f.

40 Gaiser 1985. Lee 1948 forsøger tilsvarende at vise, hvor og hvornår Aristoteles indsamlede sine zoologiske data ved en undersøgelse af stednavne i Aristoteles' tekst. Han finder en stor overvægt af lilleasiatiske og makedonske navne og slutter heraf, at indsamlingen må stamme fra Aristoteles' ophold i Assos og Mytilene. Som sagt kan man ikke slutte fra Aristoteles' til Theofrasts situation, men selv i Aristoteles' tilfælde kan man vel heller ikke udelukke, at i hvert fald nogle oplysninger er indsamlet af andre.

41 Hammond 1989, s. 153ff.

42 Philippoi er nævnt i HP 2.2.7, 4.14.12, 4.16.2.3, 6.6.4, 8.8.7, CP 5.4.7 5.12.7, 5.14.5.

43 Raven 2000, s. 17.

44 Tortzen 1991 og Negbi 1995 har en detaljeret gennemgang med kildehenvisninger. Negbis undersøgelser foregår dog med det linnæiske artsbegreb som udgangspunkt og forholder sig derfor ikke til Theofrasts problemer med at indpasse meddelernes oplysninger i værket.

45 Fragmenterne af Empedokles digt om verden er oversat i Mejer 1995, s. 54-94, se særligt s. 78-84.

46 Oversat af Bent Christensen i: Friedrichsen & Tortzen 2001, brev 12.

47 Kirchner 1875 har gjort de første vigtige iagttagelser i denne retning, selvom hans formål var det stik modsatte, nemlig at bevise, at Theofrast selv havde samlet alle informationerne. Se også Amigues 1988 I.xiii; Einarson & Link 1976 I.xix-xiii.

48 De vidunderligt detaljerede kort og indices i Talbert 2000 har gjort dette arbejde meget lettere.

49 Strömberg 1937, planche over for s. 158 er et forsøg på at vise Theofrasts naturlige klassifikation af urterne; s. 160 vises et diagram over vedbend.

50 HP 3.18.6-10; Tortzen 1990, s. 47f. (med diagram!). Nelson & Platnik 1981, s. 63-66 har en diskussion af dette specialtilfælde på baggrund af tidligere fagbotanisk litteratur (som igen bygger på Strömberg). Desværre er forfatternes uudtalte forudsætning også her, at Theofrast er ved at skrive en anden bog end HP.

51 Fr. 151.12 W – fragmentet er et langt uddrag af Theofrasts værk *Om fisk der lever på land*.

52 Skriftet er oversat og kommenteret i Tortzen 2001.

53 Teksten findes med oversættelse i 2. bind af Horts Theofrastudgave.

54 Cronin 1992.

55 I denne forbindelse er Skydsgaard 1968, s. 101-106 særlig oplysende.

56 Balme 1991, s. 1-30.

57 'Theophrastus writes the *Kunstprosa* or euphonic prose of the day, such as we see it in the *Constitution of Athens*. Such prose endeavours to borrow the graces of poetry without ceasing to be prose.'

58 'The effects of avoiding hiatus are manifest on every page: order, syntax and choice of words are constantly influenced. To ignore these effects is to neglect an indispensable means of establishing, understanding and enjoying the text.'

59 Nielsen 2002, s. 564.

60 Spørgsmålet om Sokrates' død og Platons beskrivelse af symptomerne er diskuteret i Hansen 1991, s. 27-28. Amigues 2002, s. 161-176 omtaler Theofrasts og andre græske botanikeres beskrivelse af giftplanter og deres virkning.

61 Oversættelsen har tidligere været bragt i en lidt anden form i Tortzen 1995a.

62 Strömberg 1937, særligt s. 145-154.

63 Oversættelsen og kommentaren har tidligere været bragt i en lidt anden form i Tortzen 1990, hvor der også er en diskussion af de moderne botanikeres forsøg på artsbestemmelse, som er udeladt her.

64 Oversættelsen har tidligere været bragt med en mere omfattende kommentar i Tortzen 1995b.

65 *Fragmente der griechischen Historiker* II, s. 133, fr. 34.

66 Arrian *Anabasis* 6.22.6-7.

67 Wimmer 1854 II, s. 255.

68 Amigues 2002, s. 57-62 og tidligere i kommentaren *ad loc.*

69 Nielsen 2002, s. 549-612.

Bibliografi

Denne bibliografi omfatter de i teksten forkortede titler. Tekstudgaver af Theofrast er desuden anført i *Indledningen* s. 12ff.

Amigues 1988: Suzanne Amigues: *Théophraste, recherches sur les plantes* I- (VI). Paris 1988-

Amigues 2002: – *Études de botanique antique* (Mémoires de l'Académie des Inscriptions et Belles-lettres). Paris. Bogen indeholder reviderede genoptryk af 33 artikler publiceret i forskellige franske tidsskrifter

Balme 1961: D.M. Balme: 'Aristotle's use of differentiae in Zoology', s.195-212 i: S. Mansion (udg.): *Aristote et les problèmes de méthode*. Louvain-Paris

Balme 1991: – 'Introduction' i: *Aristotle: History of Animals. Book VII-X*. Loeb Classical Library vol. 439. Cambridge Massachusets/London

Barker 1984: Andrew Barker: *Greek Musical Writings I. The Musician and his Art*. Cambridge

Bretzl 1903: Hugo Bretzl: *Botanische Forschungen des Alexanderzuges*. Leipzig

Canfora 1991: Luciano Canfora: *The Vanished Library*. London

Capelle 1954: W. Capelle: 'Der Garten des Theophrast', s. 45-82 i: *Festschrift Fr. Zucker*. Berlin

Chroust 1963: A.H. Chroust: 'Modern Aristotelian Scholarship' i: *Classica & Mediaevalia* 24.1963.50-67

Chroust 1972: – 'Did Aristotle own a School in Athens?' i: *Rheinisches Museum* 115.1972.310-18

Cronin 1992: Cronin, P.: 'The authorship and sources of the Peri semeiôn ascribed to Theophrastus', s. 307-345 i: Fortenbaugh 1992

Düring 1957: Ingmar Düring: *Aristotle in the Ancient Biographical Tradition*. Göteborg

Einarson & Link (1976): Benedict Einarson & George K.K. Link: *Theophrastus De Causis Plantarum* I-III (Loeb). London 1976-1990

FHSG: William W. Fortenbaugh, Pamela M. Huby, Robert W. Sharples and Dimitri Gutas: *Theophrastus of Eresus: Sources for his Life, Writings, Thought and Influence*. Leiden 1992

Fortenbaugh 1985: William W. Fortenbaugh (ed.): *Theophrastus of Eresus. On his Life and Work*. Rutgers University Studies in Classical Humanities vol. II. New Brunswik

Fortenbaugh 1988: – and Robert W. Sharples (edd.): *Theophrastean Studies on Natural Science, Physics and Metaphysics, Ethics, Religion and Rhetoric*. Rutger University Studies in Classical Humanities vol. III. New Brunswick

Fortenbaugh 1992: – and Dimitri Gutas: *Therophrastus. His Psychological, Doxographical, and Scientific Writings*. Rutger University Studies in Classical Humanities vol. V. New Brunswick

French 1996: Roger French: *Ancient Natural History*. London

Friedrichsen & Tortzen 2001: Per Friedrichsen og Chr. Gorm Tortzen: *Ole Rømer. Korrespondance og afhandlinger samt et udvalg af dokumenter*. København

Gaiser 1985: Konrad Gaiser: *Theophrast in Assos. Zur Entwicklung der Naturwissenschaft zwischen Akademie und Peripatos*. Abh. d. Heidelberger Akademie d. Wiss. Phil.-hist. Kl. 1985 Nr. 3

Gotthelf 1988: Allan Gotthelf: 'Historiae I: plantarum et animalium', s. 100-138 i: Fortenbaugh 1988

Gottschalck 1972: H.B. Gottschalck: 'Notes on the wills of the Peripatetic scholars', *Hermes* 100.1972.314-342

Hammond 1989: N.G.L. Hammond: *The Macedonian State*. Oxford

Hansen 1991: Mogens Herman Hansen: *Hvorfor henrettede Athenerne Sokrates?* Hjørring

Hindenlang 1909: L. Hindenlang: *Sprachliche Untersuchungen zu Theophrasts botanischen Schriften*. Disp. Strassburg

Hort 1916: Sir Arthur Hort: *Theophrastus, Enquiry into Plants* I-II (Loeb). London

Isager & Skydsgaard 1992: Signe Isager and Jens Erik Skydsgaard: *Ancient Greek Agriculture*. London

Jaeger 1923: Werner Jaeger: *Aristotle, Fundamentals of the History of his Development*. Berlin 1923, engelsk revideret oversættelse Oxford 1961

Keaney 1968: J. Keaney: 'The early tradition of Theophrastus' historia plantarum' *Hermes* 96.1968.293-98

Kirchner 1874: Oskar Kirchner: *De Theophrasti Eresii libris phytologicis*. Disp. Breslau

Kirchner 1875: – 'Die botanischen Schriften des Theophrast von Eresos.' *Jahrbücher f.klass. Philologie Suppl. VII*. s. 449-539. Leipzig

Lenz 1859: Harald Othmar Lenz: *Botanik der alten Griechen und Römer*. Neudruck Wiesbaden 1966

Lee 1948: H.D.P. Lee: 'Place-names and the Date of Aristotle's Biological Works' *Classical Quarterly* 42.1948.61-67

Lloyd 1996: G.E.R. Lloyd: *Aristotelian Explorations*. Cambridge

Lygouri-Tolia 2002: Eutychia Lygouri-Tolia: 'Excavating an ancient palaestra in Athens' s. 203-212 i: *British Archaelogocal Reports (BAR)* International Series 1031 (= *Studies in Classical Archaeology* I, Excavating Classical Culture) Oxford

Lynch 1972: J.P. Lynch: *Aristotle's School*. Los Angeles

Meiggs 1982: Russel Meiggs: *Trees and Timber in the Ancient Mediterranean World*. Oxford

Mejer 1995: Jørgen Mejer: *Førsokratiske filosoffer. Fra Parmenides til Demokrit*. København

Mejer 1998: – 'A Life in Fragments. The *Vita Theophrasti*', s. 1-28 i: van Ophuijsen 1998

Mejer 2000: – *Überlieferung der Philosophie im Altertum. Eine Einführung*. København

Meyer 1854: E.H.F. Meyer: *Geschichte der Botanik 1-4*. Königsberg 1854

Mortimer 1981: A.G. Mortimer: *History of Botanical Science*. London

Negbi 1995: Moshe Negbi: 'Male and Female in Theophrastus' Botanical Works'. *Journal of the Historical Biology* 28 (1995), 28.1995.317-332

Nelson & Platnick 1981: Gareth Nelson and Norman Platnick: *Biosystems and Biogeography. Cladistics and Vicariance*. New York

Nielsen 2002: Thomas Heine Nielsen: *Arkadia and its Poleis* in the Archaic and Classical Periods (Hypomnemata 140). Berlin

van Ophuijsen 1998: J.M. van Ophuijsen & M. van Raalte (udg.): *Theophrastus. Reappraising the Sources*. Rutgers University Studies in Classical Humanities vol. VIII. New Brunswick

Pellegrin 1986: Pierre Pellegrin: *Aristotle's Classification of Animals. Biology and Conceptual Unity of the Aristotelian Corpus*. Tr. Anthony Preus. Berkeley 1986

Pomeroy 1994: Sarah B. Pomeroy: *Xenophon Oeconomicus. A Social and Historical Commentary*. Oxford

Preus 1988: Anthony Preus: 'Drugs and Psychic States in Theophrastus' *Historia Plantarum* 9.8-20', s. 76-99 i: Fortenbaugh 1988

Raven 2000: J.E. Raven: *Plants and Plant Lore in Ancient Greece*. Oxford

RE: G. Wissowa o.a. (udg): *Paulys Real-Encyclopädie der classischen Altertumswissenschaft*. Stuttgart 1893-1980

Regenbogen 1937: Otto Regenbogen: 'Eine Polemik Theophrasts gegen Aristoteles'. *Hermes* 72.1937.469-475 (= *Kleine Schriften* 1961, s. 276-285)

Regenbogen 1940: – s.v. Theophrastos 2. *RE Suppl VII*, sp. 1435-79

Rhodes 1993: P.J. Rhodes: *A Commentary on the Aristotelian Athenaion Politeia*. Oxford

Ritchie 1989: E.C. Ritchie: 'The Lyceum, the Garden of Theophrastus and the Garden of the Muses – A Topographical Re-Evaluation' i: ΦΙΛΙΑ ΕΠΗ – *Festschrift G.E. Mylonas 3*, s. 250-260. Athens

Scarborough 1978: J. Scarborough: 'Theophrastus on herbals and herbal remedies', *Journal of the History of Biology* 11.1978.353-385

Schlesinger 1939: Kathleen Schlesinger: *The Greek Aulos*. London

Senn 1956: Georg Senn: *Die Pflanzenkunde des Theophrast von Eresos*. ed. O. Gigon. Basel. (Egl. et upubliceret rektoratsprogram fra 1936)

Skydsgaard 1968: J.E. Skydsgaard: *Varro the Scholar*. Disp. København

Sloan 1976: P.R. Sloan: 'The Buffon-Linnæus Controversy' *Isis* 67. 1976. 356-375

Sollenberger 1985: Michael G. Sollenberger: 'Diogenes Laertius 5.36-57: The Vita Theophrasti' s. 1-62 i: Fortenbaugh 1985

Strömberg 1937: Reinhold Strömberg: *Theophrastea. Studien zur botanischen Begriffsbildung*. Göteborgs kungl. vetenskaps- og vitterhetssamhälles handlinger. 5. följden ser. A. band 6 n:o 4. Göteborg

Talbert 2000: Richard J.A. Talbert (udg.): *Barrington Atlas of the Greek and Roman World*. Princeton

Tortzen 1990: Tortzen, Chr. Gorm: 'Theophrast og den botaniske terminologi'. *Hellenismestudier* 2. 1990.36-51

Tortzen 1991: – 'Male and Female in Peripatetic Botany'. *Classica et Mediaevalia* 42.1991.81-110

Tortzen 1993: – (udg.) *Aristoteles om mennesket*. København

Tortzen 1995a: – 'Theophrasts overvejelser over botanikkens grundbegreber'. *Themata* 8.1995.2-20

Tortzen 1995b: – 'Rapport fra rørsumpen'. s. 98-106 i: Thomas Heine Nielsen og Chr. Gorm Tortzen: *Gammel dansk. Studier et alia til ære for Mogens Herman Hansen på hans 55-års fødselsdag*. København

Tortzen 1996: – 'Agernspisende mænd i Arkadien findes i mængde', s. 127-137 i: Mette Sophie Christensen o.a. (udg): *Hvad tales her om? Festskrift til Johnny Christensen*. København

Tortzen 2001: – 'Pseudo-Aristoteles' Oikonomika'. *Aigis* 2.2001

Travlos 1971: John Travlos: *Pictorial Dictionary of Ancient Athens.* London

Wagner 2000: Peter Wagner: 'Renaissance Readings of the *Corpus Aristotelicum* – not among the Herbalists', s. 167-183 i: Marianne Pade (ed.): *Renaissance Readings of the Corpus Aristotelicum.* Copenhagen

Warming 1884: Eugenius Warming: *Haandbog i den systematiske Botanik.* Kjøbenhavn

Wehrli 1967: Fritz Wehrli: *Die Schule des Aristoteles* I-X. Basel 1967-1978

Wehrli 1983: – 'Theophrastos von Eresos' i: H. Flashar (udg.): *Ueberweg-Praechter: Grundriss der Geschichte der Philosophie* III, s. 474-522. Berlin

Wimmer 1854: Fridericus Wimmer: *Theophrasti Eresii Opera quae supersunt omnia* I-III. Lipsiae

Wöhrle 1985: Georg Wöhrle: *Theophrasts Methode in seinen botanischen Schriften.* Amsterdam

Wöhrle 1988: – 'The Stucture and Function of Theophrastus' Treatise *De odoribus.*', s. 3-13 i: Fortenbaugh 1988